Claire Pinson

Préface du Pr Gérard Slama

130 recettes pour diabétiques

D1114770

MARABOUT

© Hachette Livre (Marabout), 2003.

Sommaire

Préface

L'alimentation a, de tout temps, fait partie de l'arsenal des actions menées par les médecins. Cela remonte bien sûr aux temps immémoriaux où la diète s'inscrivait davantage dans une démarche philosophique, voire magique, que dans une démarche scientifique.

Cet âge a duré très longtemps puisqu'il a fallu attendre le milieu du XIXe siècle pour qu'une démarche scientifique vienne enfin remplacer les conseils parfois étonnants, sinon farfelus. Citons les régimes encore prescrits dans la première moitié du XIXe siècle, à base de saindoux, de viande fortement faisandée et de vin de Madère ou, plus étonnants encore, les régimes à base de sucre de canne !

C'est avec Apollinaire Bouchardat que le raisonnement scientifique et l'expérimentation clinique clarifient ces idées et mettent en évidence le rôle majeur des glucides dans la régulation de la glycémie. Dès lors la diète des diabétiques repose essentiellement sur la restriction glucidique qui aboutit rapidement à une série d'interdits.

A suivi un siècle et demi d'une attitude contraignante vis-à-vis de l'alimentation du diabétique, souvent vécue comme punitive, où le plaisir de la table était en partie exclu. On peut dire qu'un certain ostracisme frappait (et frappe malheureusement encore) les diabétiques, considérés un peu comme des parias auxquels une cuisine spéciale, avec des aliments et des produits spéciaux, était parfois réservée à la maison. Le sujet diabétique était souvent soumis à une attitude de rejet de la part de son entourage, étant considéré comme un mauvais convive soumis à trop de contraintes pour permettre une invitation facile ; ailleurs, il était fortement invité à laisser de côté son régime, « pour une fois ». On pouvait, sans le caricaturer, résumer le conseil diététique aux diabétiques par la formule des « 3 P + 1 S », à savoir « pas de pain, pas de pâtes, pas de pommes de terre, pas de sucre ». Ces conseils avaient de nombreux inconvénients, outre l'ennui, la contrainte, la tristesse, l'exclusion, ils poussaient le sujet diabétique à consommer beaucoup trop de graisses, ce qui n'était souhaitable ni pour le contrôle de son poids, ni pour la prévention des maladies cardiovasculaires.

Depuis une vingtaine d'années, cet état d'esprit change, lentement, sous la poussée d'études scientifiques indiscutables et confirmées dans le monde entier. Le conseil diététique à un sujet diabétique, est devenu en quelque sorte un modèle d'équilibre alimentaire pour une personne non diabétique du même âge, du même sexe et de la même activité physique. De paria, le sujet diabétique devient un exemple à suivre.

Pour résumer les fondements de cette nouvelle vision, on pourrait dire que les règles suivantes s'imposent maintenant :

• manger une ration importante (plus de la moitié de la ration calorique quotidienne) sous forme de glucides ;

• avoir un apport lipidique modéré et varié ;

• s'autoriser une consommation, au moment des repas, de produits sucrés, en veillant seulement à ce que ces éléments ne soient ni liquides (boissons pétillantes) ni trop gras (pâtisseries à la crème, etc.) ;

• les fruits doivent avoir une place de choix dans l'alimentation des diabétiques ;

• enfin, les sujets diabétiques de poids normal doivent manger sans restriction, quantitativement à leur faim ; les patients diabétiques non insuline-dépendants ayant le plus souvent une surcharge pondérale doivent, eux, essayer de limiter leur apport calorique pour perdre du poids, même de façon limitée.

Aucun aliment n'est formellement interdit ; certains doivent être simplement consommés de façon modérée.

Caroline Fouquet a participé à l'aventure de ces remises en cause des notions anciennes, de façon intense et depuis de nombreuses années à mes côtés, à nos côtés, à l'Hôtel-Dieu de Paris. Il s'agit là d'une personne expérimentée, compétente, à l'esprit curieux, ayant participé à de nombreux travaux de recherche et qui sait donc de quoi elle parle. Ce livre est aussi le fruit de son expérience, il est en tous les cas conforme à ce qui se fait de mieux en matière de pensée diététique à ce jour.

Je n'exprime qu'un seul regret : c'est de n'avoir pu goûter toutes les recettes que Claire Pinson propose dans cet ouvrage. Je suis sûr que les patients diabétiques et leurs familles sauront y trouver des idées de plats qui leur montreront que l'on peut mettre en pratique des notions théoriques pour réintroduire le plaisir, la convivialité, au service de sa santé.

Bon appétit !

Pr Gérard SLAMA
Chef du Service de Diabétologie
de l'Hôtel-Dieu de Paris

Le diabète

Définition

Le diabète est une maladie chronique qui aujourd'hui encore se « soigne » mais ne se guérit pas. Cette pathologie fréquente touche 3,6 % de la population française (soit 2,325 millions de personnes). Le diabète se définit par une glycémie (taux de sucre dans le sang) trop élevée, le taux normal étant en moyenne de 1 g/l.

Selon les critères de l'OMS (Organisation mondiale de la santé), une personne est diabétique lorsque son taux de glycémie à jeun mesuré en laboratoire est supérieur à 1,26 g/l (hyperglycémie), à deux reprises.

L'organisme régule le taux de sucre dans le sang grâce à une hormone fabriquée par le pancréas, appelée insuline. C'est cette substance qui fait partiellement ou complètement défaut au malade diabétique.

Il existe plusieurs types de diabète dont les plus fréquents sont :

le diabète de type 1 apparaît généralement chez l'enfant ou l'adulte jeune. Dans ce diabète, le pancréas n'est plus capable de fabriquer l'insuline. Le diabète de type 1 ne concerne que 10 % des diabétiques ;

le diabète gras se révèle plus souvent vers 40-50 ans, bien qu'il apparaisse de plus en plus chez les adolescents obèses. Il associe un défaut d'action de l'insuline (insulino-résistance) à un déficit au moins relatif en insuline. Ce diabète est une maladie évolutive, pouvant passer inaperçue pendant une longue période jusqu'au jour où le pancréas ne fabrique plus assez d'insuline. Il touche 90 % des diabétiques, notamment en France et dans les pays industrialisés ; cette forme de diabète est en pleine expansion et l'on parle de véritable épidémie pour les années à venir. En France, les tutelles prévoient qu'en 2016 2,8 millions de personnes seront traitées pour le diabète.

Le diabète ne provoquant pas de douleur particulière, il peut être diagnostiqué avec beaucoup de retard. Des complications rénales, oculaires, neurologiques et cardiovasculaires peuvent également s'en suivrent s'il n'est pas ou mal soigné. De plus, le diabète est souvent associé à un surpoids, un taux de cholestérol et une tension artérielle élevés. Tous ces paramètres sont aussi importants à contrôler que la glycémie pour éviter l'apparition de complications cardio-vasculaires (infarctus, accidents vasculaires-cérébraux, etc.).

Objectifs du traitement

L'hyperglycémie prolongée abîme les nerfs et les vaisseaux sanguins qui apportent le sang et l'oxygène à tous les organes du corps humain. Ainsi, un diabète mal soigné peut entraîner des complications graves au niveau des yeux, des reins, du cœur et des nerfs des jambes en particulier. Le diabète reste la première cause de cécité et d'amputation en France.

Le traitement du diabète consiste à obtenir en permanence une glycémie la plus normale possible en conservant une qualité de vie correcte. Chaque patient diabétique a des objectifs personnalisés, notamment en termes de glycémie et de pression artérielle. Ces objectifs sont fixés par les médecins diabétologues.

Il est également primordial de traiter l'hypercholestérolémie, l'hypertension artérielle et le tabagisme éventuellement associés. La maîtrise du poids est aussi un élément essentiel à l'équilibre du patient diabétique et il est clairement établi que la perte de quelques kilos (5 % de son poids) permet d'améliorer les glycémies.

Traitement

Dans le diabète de type 1, le premier traitement est d'apporter l'insuline que le pancréas ne fabrique plus. Ceci se fait au moyen d'injections sous-cutanées d'insuline, associées à des règles diététiques essentielles au bon contrôle glycémique. Le choix des doses d'insuline est guidé par une surveillance pluriquotidienne du taux de sucre dans le sang, mesuré au bout du doigt, grâce à des lecteurs de glycémie.

Dans le diabète de type 2, le traitement repose sur le « régime », ou plutôt une alimentation adaptée, et sur l'activité physique indispensables à l'amélioration des glycémies. Quand ces éléments ne suffisent plus à obtenir des glycémies correctes, les diabétologues sont amenés à prescrire des médicaments, dont il existe plusieurs classes. Souvent, il est nécessaire d'apporter de l'insuline au bout de plusieurs années d'évolution du diabète car le pancréas s'épuise. La surveillance du taux de glycémie fait également partie du traitement.

Le patient atteint de diabète doit connaître sa maladie, son traitement, ainsi que les objectifs à atteindre. C'est pourquoi, l'éducation thérapeutique, qui consiste pour les soignants à transmettre leur savoir au patient, est l'élément central du traitement des diabétiques. Le but est de permettre aux personnes diabétiques de se soigner au quotidien (chez eux, à leur travail ou ailleurs), pour préserver la qualité de vie en toutes circonstances, au cours de voyages, par exemple. L'autonomie face à la maladie est primordiale aux patients atteints de diabète, mais ceci demande un apprentissage et un investissement personnel importants. Aussi, quel que soit le type de diabète, un suivi régulier avec une équipe pluridisciplinaire (diabétologue, infirmier, diététicien, podologue) est essentiel pour réajuster les connaissances et le traitement. De la même façon, une surveillance annuelle des yeux, des reins, des pieds et des dents doit être effectuée afin de pouvoir dépister la survenue éventuelle de complications et intervenir précocement.

Quels que soient le type de diabète et son traitement, l'alimentation est une des clés du bon équilibre glycémique puisqu'elle influe d'une part, directement sur la glycémie, et que d'autre part, le poids est un facteur essentiel du contrôle de la glycémie. La dimension diététique est donc incontournable dans la prise en charge du diabète.

Le « régime » diabétique ou l'alimentation adaptée au diabète

Objectifs

Les objectifs de l'alimentation adaptée à la personne diabétique sont d'arriver à l'obtention d'une normoglycémie accompagnée d'un contrôle de poids, voire un amaigrissement si celui-ci est souhaitable. Ainsi, les apports caloriques doivent être adaptés individuellement aux besoins. Il est par ailleurs important de préserver la convivialité et le plaisir ; il n'est pas question de mettre le diabétique de la famille en bout de table avec son menu, ses plats, son pain et son verre d'eau…

Définition

Les mots « régime » et « diététique » vont souvent de pair avec privation dans l'esprit des gens, diabétiques ou pas, or diététique n'est pas synonyme de torture.

Le mot diététique vient du grec dieta qui signifie « art de vivre ». La diététique du diabète est donc la discipline qui consiste à bien vivre avec un diabète pour notamment en éviter les complications, en particulier cardio-vasculaires. Fini le temps où les patients diabétiques n'avaient droit à rien, pas même au dessert du dimanche ou aux chocolats de Noël. Le régime des patients atteints de diabète a évolué grâce aux nombreuses études menées sur cette maladie et dans le domaine de la nutrition en général. L'alimentation qui convient à la personne diabétique est une alimentation tout simplement équilibrée, permettant de contrôler son poids, d'en perdre si besoin, et d'éviter les fluctuations de glycémies trop importantes. Cette façon de se nourrir est qualifiée de régime parce qu'il n'est pas habituel de prendre garde à ce que l'on mange. Dès qu'une personne « fait attention à ce qu'elle mange », elle s'entend souvent dire « tu fais un régime ?! », alors qu'il s'agit seulement de quelqu'un qui refuse raisonnablement une troisième part de gâteau…

Principe

Logiquement, le diabète se manifeste par un excès de sucre dans le sang. On pourrait penser que l'alimentation adaptée à la maladie diabétique est une restriction en sucre, mais ce n'est pas si simple. En fait, il existe autant de régimes que de personnes diabétiques. Le propre d'une alimentation adaptée est qu'elle soit d'abord personnalisée. En général, le diabète est avant tout une affaire de graisses et de poids ou plutôt de surpoids. Le patient atteint de diabète consultant pour la première fois un diététicien ou un endocrinologue s'entend souvent dire que pour les mêmes poids, taille, activité physique, âge, une personne sans diabète aurait reçu les mêmes conseils. C'est vrai !

Le principe paraît simple :

• respecter une alimentation équilibrée, ce qui permet de contrôler l'apport calorique pour la maîtrise du poids ;

• diminuer et privilégier la consommation de graisses non athérogènes pour aider à la prévention des maladies cardio-vasculaires ;

• préférer des aliments ayant un faible pouvoir hyperglycémiant pour éviter une trop grande élévation des glycémies après les repas ;

• consommer suffisamment de fibres dont le rôle bénéfique pour le contrôle métabolique est reconnu tant pour l'équilibre glycémique que pour le profil lipidique.

• participer au traitement des complications, s'il y a lieu.

Un mot sur les nutriments essentiels

Les lipides (graisses)

Ennemi public n° 1 du patient diabétique car, consommés à l'excès, les lipides font grossir. Quand elles sont de mauvaise qualité, les graisses participent au développement des maladies cardio-vasculaires.

Les glucides (sucres)

Responsables de l'élévation de la glycémie après les repas, les glucides doivent être bien choisis, c'est-à-dire de préférence avec des fibres (céréales complètes), consommés de façon régulière et contrôlée, tout au long de la journée.

Les protéines

La consommation de protéines doit être contrôlée afin de ne pas surcharger les reins, dont un des rôles consiste à éliminer les produits de dégradation des protéines (urée).

Les fibres

Indispensables au bon fonctionnement du transit intestinal, les fibres sont souvent consommées en quantités insuffisantes. De plus, elles possèdent d'autres propriétés intéressantes, comme la protection contre les cancers digestifs ou par exemple contre l'hypercholestérolémie.

Les vitamines

Diabète ou pas, l'apport vitaminique ne doit pas être différent. Une alimentation variée et équilibrée couvre les besoins en vitamines de l'organisme. Il est donc inutile de compléter son alimentation avec des produits souvent onéreux que sont les aliments supplémentés.

Les sels minéraux

Comme pour les vitamines, une alimentation variée permet d'apporter à l'organisme les sels minéraux indispensables à son entretien et à son bon fonctionnement.

L'alcool

C'est la même recommandation qui s'applique à tout le monde : « à consommer avec modération ». Toutefois, certaines précautions sont à prendre en cas de traitement par certains médicaments hypoglycémiants, l'alcool potentialise en effet le risque d'hypoglycémie.

L'équilibre alimentaire

Principes

Les aliments sont classés en 7 grands groupes. Dans chaque groupe, les aliments sont équivalents et apportent les mêmes éléments nutritionnels. Pour manger équilibré, il suffit de puiser chaque jour dans chacun des groupes, en respectant les grandes règles suivantes.

Observer un rythme minimum de 3 repas par jour pour éviter de laisser l'organisme en état de jeûne prolongé qui pourrait induire des hypoglycémies. La régularité dans l'alimentation est précieuse tant pour le contrôle du poids que pour le contrôle du taux de glycémie.

Limiter l'apport en graisses (ou lipides) et en sel (sodium) pour contrôler le poids, le taux de cholestérol dans le sang et la tension artérielle. Ces 3 paramètres sont très souvent les premiers problèmes des patients diabétiques.

Modérer la consommation de sucres ajoutés (saccharose, glucose, maltose, etc.), y compris dans les boissons pour contrôler au mieux les pics d'hyperglycémies.

Manger de tout, en petite quantité pour couvrir les besoins nécessaires au bon fonctionnement de l'organisme.

Conserver le plaisir de manger et la convivialité : manger est avant tout synonyme de partage et de plaisir ; malgré les contraintes imposées par le diabète, cet aspect de l'alimentation doit être conservé. Il contribue à l'acceptation de la maladie et de son traitement.

Classification des aliments

Chaque groupe d'aliments a ses propriétés. Les aliments d'un même groupe sont donc équivalents.

GROUPE	RICHE EN	RÔLES
Produits laitiers	Protéines, calcium, vitamines du groupe B	Bâtir et entretenir le corps humain
Viandes, poissons, œufs	Protéines, vitamines du groupe B	Bâtir et entretenir le corps humain
Légumes verts	Fibres, vitamine C, sels minéraux	Favoriser le transit intestinal Entretenir le corps humain
Fruits	Glucides simples, fibres, vitamine C, sels minéraux	Apporter de l'énergie Favoriser le transit intestinal Entretenir le corps humain
Céréales et dérivés, tubercules, légumineuses	Glucides complexes (amidon), vitamines du groupe B	Apporter de l'énergie Entretenir le corps humain
Matières grasses	Lipides, vitamines E	Apporter de l'énergie Entretenir le corps humain
Sucres et produits sucrés	Glucides simples	Apporter de l'énergie

Repas équilibré

L'équilibre alimentaire s'obtient tout au long de la journée par une répartition correcte des aliments sur le petit-déjeuner, les deux repas principaux et d'éventuelles collations. Equilibrer et varier ses repas sur la journée permet de couvrir les besoins nutritionnels de l'organisme au quotidien. Un repas équilibré doit apporter un aliment de chaque groupe défini ci-dessus. Les menus sont « classiquement » construits ainsi :

• hors-d'œuvre : souvent, des légumes verts crus ou cuits appelés crudités (souvent à tort car tous les légumes ne se mangent pas crus) ;

• viande, poisson, œufs ou abats ;

• légumes verts et/ou féculents (pâtes, riz, pommes de terre, légumes secs, etc.) ;

• produit laitier (fromage ou laitage) ;

• fruit (cru ou cuit) ;

• pain (du groupe des féculents), éventuellement.

La matière grasse est généralement incluse dans les plats, l'idéal est de préserver un apport d'huile crue, avec la vinaigrette, par exemple.

Souvent, les menus sont déséquilibrés parce qu'ils comportent plusieurs aliments du même groupe, aux dépens d'un ou plusieurs groupe(s) d'aliments. Exemples :

Menu 1 : maquereau au vin blanc

• blanquette de veau

• riz

• yaourt

• pomme

Ce menu est dépourvu de légumes verts et manque donc de fibres.

Menu 2 : carottes râpées

• daurade

• fenouil

• morbier

• banane

Ce repas ne contient pas d'aliments du groupe des céréales et dérivés et manque donc de glucides complexes.

Choix des aliments

Le meilleur des lipides

De tous les nutriments (protides, lipides, glucides), les graisses ou lipides sont les plus caloriques. C'est sous cette forme que l'organisme stocke l'énergie dans les cellules graisseuses appelées adipocytes. Pour ces deux raisons, il s'agit de l'élément à diminuer en priorité (suivi de l'alcool) lorsque l'on veut contrôler son poids, voire en perdre. Ce sont aussi les graisses qui, pour certaines, contribuent largement à la fabrication de plaques d'athérome dans les vaisseaux sanguins.

La maîtrise de la consommation des lipides et leur choix sont donc nécessaires pour tous et, a fortiori, chez les personnes atteintes de diabète. Il faut être vigilant car ces lipides sont très souvent cachés au sein d'aliments ayant par ailleurs « bonne presse » : le fromage, la viande… C'est là qu'intervient la notion d'équilibre alimentaire : savoir privilégier les aliments qui apportent des éléments essentiels tels que protéines, fer, calcium, vitamines, etc., sans trop de « mauvaises » graisses.

Le choix des graisses visibles ou graisses d'ajout (huile, margarine, beurre, crème fraîche…) est tout aussi important car tous ces aliments n'ont pas les mêmes qualités nutritionnelles. Le beurre et la margarine ont un apport calorique tout à fait comparable, chacun contient 80 % de matières grasses. Les margarines n'ont d'intérêt que si elles sont dépourvues de graisses hydrogénées, même partiellement, et d'acides gras trans- et saturés. Elles sont aussi néfastes que le beurre si elles en contiennent. Les huiles renferment des acides gras essentiels, appelés ainsi car l'organisme ne sait pas les fabriquer. Pour couvrir les besoins, il faut varier les huiles car aucune ne contient tous les acides gras essentiels, hormis les mélanges d'huile vendues aujourd'hui dans le commerce.

L'huile d'olive a très bonne réputation car elle renferme des éléments capables de diminuer le taux de « mauvais » cholestérol (LDL cholestérol) circulant dans les vaisseaux : ce sont les acides gras mono insaturés. Mais elle n'est pas la seule à contenir ces excellents acides gras, l'huile de colza en apporte également, de même que les graisses d'oie et de canard, d'où le « French paradox »! En effet, les Français du Sud-Ouest sont statistiquement moins atteints de maladies cardio-vasculaires, alors qu'ils mangent aussi gras que les Français du Nord de la France. Une des explications avancée est la meilleure qualité des acides gras consommés dans le pays du foie gras et du cassoulet. Mais attention, malgré leur effet bénéfique sur les artères, ces huiles apportent quand même beaucoup de calories. Elles sont donc à choisir en priorité, mais rien ne sert d'en consommer à l'excès…

Choix des aliments pour le meilleur des graisses

MAUVAISES GRAISSES (SATURÉES)	G DE GRAISSES/ 100 G D'ALIMENTS	BONNES GRAISSES (INSATURÉES)
Saindoux, pain de graisse de coco pour friture	100	Huiles Graisse d'oie, graisse de canard
Beurre, margarine standard Mayonnaise	80	Margarine sans graisses hydrogénées Vinaigrette
	60	Fruits oléagineux (noix, noisettes, cacahuètes, pistaches…)
Beurre allégé Rillettes, saucisson sec Chips Chocolat	40	Foie gras
Crème fraîche Pâtés, saucisses, fromages Pâtisseries au beurre, viennoiseries Sauce hollandaise, sauce béarnaise, sauce au roquefort, etc.		Vinaigrette allégée Olives noires
Jambon cru Frites, biscuits secs salés Sauces à la crème Crème fraîche allégée Pâtisseries à la crème Tartes aux fruits, tartes aux légumes	20	Poissons en conserve, à l'huile Poissons fumés
Biscuits secs sucrés Sauce béchamel, sauce au poivre, etc. Viandes Glaces Fromage allégé Laitage demi-écrémé		Olives vertes Laitage maigre (20 % de matières grasses au maximum)
	0	Poissons Coquillages, crustacés

Le meilleur des protéines

Les protéines ont un rôle « bâtisseur » et d'entretien. L'organisme ne les stocke pas, les reins éliminent le surplus consommé sous forme d'urée. Aussi une consommation exagérée de protéines entraîne-t-elle une hyperactivité rénale.

De plus, très souvent, les aliments protidiques véhiculent des graisses athérogènes, dont le cholestérol, ce qui favorise le développement de maladies cardio-vasculaires. Pour ces deux raisons, il est conseillé de limiter les portions de viande, poisson, œufs, abats, fromage et d'éviter de multiplier les sources de protéines dans un même repas. Certaines viandes sont moins grasses que d'autres, et certains aliments protidiques apportent des lipides de bonne qualité, en particulier les poissons gras et les volailles. Pour un meilleur équilibre alimentaire, un choix judicieux des aliments contenant des protéines permet une diminution considérable des « mauvaises » graisses dites saturées.

Choix des protéines les moins grasses

ALIMENTS	À PRÉFÉRER	À MODÉRER	À ÉVITER
Bœuf	Steak, bavette, steak haché à 5 % de matières grasses, hampe	Steak haché à 10 % de matières grasses, faux-filet, paleron, collier, macreuse, tende de tranche	Steak haché à 15 et 20 % de matières grasses, entrecôte, plat de côte, côte, jarret
Veau	Filet, escalope	Noix, longe	Côte, bas de carré, carré, épaule, jarret
Agneau		Gigot	Côte, épaule, selle, collier
Porc	Filet mignon Jambon blanc	Jambonneau, rôti, côte filet	Carré, collier, côte échine, épaule, longe palette, poitrine, lard jambon cru
Volaille et gibier	Canard sauvage Poulet sans la peau Dinde sans la peau Tous les gibiers	Canard d'élevage Magret de canard Poulet avec la peau Dinde avec la peau Pintade Foie	Poule Oie Foie gras

ALIMENTS	À PRÉFÉRER	À MODÉRER	À ÉVITER
Abats	Foie, cœur, tripes	Rognons Tête de veau Queue de bœuf	Langue
Poissons	Frais Conserves au naturel Surgelés	Fumés	Conserves à l'huile Panés
Œufs	Blanc	Jaune Œuf entier	
Produits laitiers	Laitage écrémé, demi-écrémé ou à 0 % de matières grasses	Fromage à 45 % de matières grasses, laitage au lait entier 1	Fromage à plus de 45 % de matières grasses

Le meilleur des glucides

Le choix de « bons glucides » est essentiel à l'obtention de bonnes glycémies après les repas (ou glycémies postprandiales) en particulier chez le diabétique de type 2. La tentation serait de ne pas manger de glucides pour ne pas faire monter la glycémie !... Oui, mais, par définition, ceci reviendrait à manger très déséquilibré et de ce fait à manger beaucoup de graisses puisqu'il faut bien se nourrir ! De plus, l'organisme a besoin d'une quantité journalière minimale de glucides ; si l'alimentation n'en apporte pas suffisamment, il est alors forcé de fabriquer du glucose à partir d'autres éléments, et c'est le foie qui a cette mission. Ainsi, même un régime dépourvu totalement de glucides ne fait-il pas « disparaître » le diabète. Ceci s'applique surtout dans le diabète de type 2.

Consommer très peu d'aliments glucidiques était auparavant conseillé aux personnes atteintes de diabète ainsi que se restreindre en féculents, en pain, en fruits et de manger autant de viande, œufs, fromage, charcuterie qu'elles le voulaient. Le discours a bien changé car cette alimentation favorise énormément le développement des maladies cardio-vasculaires souvent difficiles à traiter.

De toute façon, les besoins de l'organisme sont au minimum de 150 g de sucres ou glucides par jour, diabète ou pas. Il n'est donc pas justifié de se priver des aliments qui apportent des glucides ; dans le cadre d'un diabète, par contre, il est important de savoir bien les choisir.

Les aliments glucidiques étaient habituellement partagés en deux classes : les glucides lents (féculents) et les glucides rapides (fruits, produits et boissons sucrées). Cette classification n'est pas juste et tous les diabétiques qui surveillent leur glycémie le savent, le pain dit sucre lent, fait énormément monter la glycémie, contrairement à la pomme qualifiée de sucre rapide.

D'ailleurs en octobre 2004, l'Agence française de sécurité sanitaire des aliments (AFSSA) a édité des recommandations pour les professionnels de la santé et de l'industrie agro-alimentaire au sujet de la terminologie à employer pour parler des glucides :

• glucides complexes pour qualifier les amidons (céréales, pommes de terre, légumes secs…) ;

• glucides simples pour qualifier les sucres naturellement présents dans les aliments (fruits, lait…) ;

• glucides ajoutés pour qualifier tous les sucres ajoutés dans les plats et boissons.

Il est établi depuis plus de trente ans que certains aliments glucidiques font plus monter la glycémie que d'autres, car chaque aliment induit une augmentation de la glycémie qui lui est propre. Ce pouvoir hyperglycémiant des aliments qui contiennent des glucides se mesure, c'est ce que l'on appelle l'index glycémique. L'aliment de référence est le glucose, auquel a été attribué l'index glycémique 100. L'index glycémique d'un aliment est ainsi donné par rapport au glucose. Cette indication du pouvoir hyperglycémiant des aliments est essentielle dans la gestion des glycémies, en particulier en période postprandiale. Elle permet d'une part de « décider » de faire monter un peu ou beaucoup la glycémie, et d'autre part, d'interpréter certains résultats glycémiques étonnants. Par exemple, lorsqu'une personne diabétique fait une hypoglycémie, c'est-à-dire n'a pas assez de sucre dans le sang, elle va choisir de manger un aliment qui fait beaucoup monter la glycémie, comme un soda, du sucre, du pain, etc. Après un repas qui contient des pommes de terre, en particulier sous forme de purée ou de frites, les diabétiques ne doivent pas s'étonner d'avoir une glycémie postprandiale assez élevée.

Pour éviter des excursions glycémiques trop importantes après les repas, il est conseillé de manger des aliments à faible index glycémique, c'est-à-dire ceux qui contiennent de l'amidon et des fibres. Il faut donc réhabiliter les légumes secs, les céréales complètes et les fruits! Ces aliments sont trop souvent « boudés » dans notre alimentation, pourtant ils ont prouvé, notamment dans le régime méditerranéen, leur efficacité pour la prévention de certaines maladies : hypercholestérolémie, diabète, cancer, etc. Les aliments qui ont un pouvoir glycémiant élevé ne sont pas interdits, d'ailleurs, aucun aliment n'est interdit dans le traitement du diabète, mais leur consommation devrait être diminuée au profit d'aliments « meilleurs » pour la glycémie. Un bémol est posé sur les boissons sucrées qui sont fortement déconseillées aux personnes atteintes de diabète car elles sont dépourvues d'intérêt nutritionnel (ni fibres, ni vitamines), si ce n'est l'apport de glucides ajoutés. En revanche, toutes les boissons édulcorées, dites « light », peuvent être consommées sans risque d'augmentation de la glycémie.

Choix des aliments pour le meilleur des glucides : les index glycémiques

100 %	Glucose, dattes séchées
	Baguette, pomme de terre au four
90 %	Corn flakes
80 %	Tapioca, fèves
	Frites, biscottes, gaufres, beignets, pastèques,
70 %	Pain blanc, pain complet, croissants, gnocchi, biscuits salés, boissons aux fruits, sodas

	Semoule, flan pâtissier, sucre, betterave, ananas, melon, raisin, confiture
60 %	Riz blanc, maïs, barre de céréales, cookies, biscuits fourrés chocolat, abricot, miel
	Pomme de terre bouillie, chips, banane, crème glacée, compote de pommes, pâtisseries
50 %	Boulgour, muesli, châtaignes, biscuits secs, chocolat, carottes, kiwi, crème dessert
	Orange, jus d'orange frais, pêche
40 %	Pain noir, pâtes, clémentine, poire, pomme, jus de pomme 100 %
	Gaufrettes
30 %	Lentilles, haricots secs, abricots secs
20 %	Cerises, yaourt aux fruits, légumes verts
	Cacahuètes, soja
10 %	
0 %	

Source : Brand-Miller

En ce qui concerne les desserts sucrés, souvent réprouvés par les diabétiques, ils n'ont pas un index glycémique élevé, aussi n'est-il pas justifié de les supprimer de l'alimentation. Le problème que posent les produits sucrés (tels que pâtisseries, chocolat, biscuits, viennoiseries, etc.) ne tient pas tant au sucre mais aux graisses, le tableau ci-dessus souligne la richesse lipidique de certains aliments, or, faut-il le répéter, le premier ennemi du diabétique est le gras !

Les équivalences

Principes

Pour varier l'alimentation en évitant les repas déséquilibrés, la notion d'équivalences entre aliments peut être utilisée. En observant une bonne régularité, on parvient à l'obtention d'un équilibre glycémique correct. Le maniement des équivalences alimentaires nécessite un minimum d'apprentissage et de connaissances sur la composition des aliments courants. Cela permet également d'alléger les contraintes de l'alimentation du diabétique. C'est une notion très utile qui permet de pouvoir manger « de tout » en toutes circonstances, sans se sentir démuni. L'objectif est de préserver et de concilier l'équilibre alimentaire, la régularité dans les apports alimentaires et la convivialité.

Équivalences en lipides

Ces équivalences sont habituellement données pour 10 g de graisses. Étant donnée l'importance de la qualité des lipides, il est indispensable de différencier les équivalences en « bonnes » et « mauvaises » graisses. Donc en « cuillerée à soupe d'huile » et de « beurre », respectivement.

10 g de graisses saturées (mauvaises)

- = 10 g de beurre
- = 1 cuillerée à soupe de crème fraîche
- = 2 cuillerées à soupe de crème fraîche allégée
- = 20 g de rillettes (1 petite tranche)
- = 30 g de saucisson sec (5 rondelles fines)
- = 2/3 de chipolata
- = 1 petite part de viande (100 g)
- = 4 tranches de jambon blanc
- = 30 g de fromage (1 petite part)

= 100 g de fromage blanc à 40 % (1 petit pot)

= 1 croissant

10 g de graisses insaturées (bonnes graisses)

= 1 cuillerée à soupe d'huile

= 2 cuillerées à soupe de vinaigrette

= 1 darne de saumon

= 50 g de poisson fumé (2 fines tranches)

= 5 noix

= 10 noix de cajou

= 10 olives noires

= 1 petite poignée de cacahuètes

Équivalences en glucides

Les équivalences glucidiques sont habituellement données pour 20 g de glucides, ceci ne signifie pas que la portion des personnes diabétiques soit limitée à ces quantités, c'est une unité. Ces équivalences glucidiques ne tiennent pas compte de l'apport en graisse différent d'un aliment à l'autre (cf. équivalences composées). De même, elles ne tiennent pas compte de la qualité des glucides, c'est-à-dire de l'index glycémique.

20 g de glucides sous forme de féculents cuits

= 4 morceaux de sucre n° 4

= 2 pommes de terre de la taille d'un œuf

= 2 cuillerées à soupe de purée

= 15 frites

= 4 cuillerées à soupe de blé

= 4 cuillerées à soupe de riz

= 4 cuillerées à soupe de pâtes type coquillettes
= 15 raviolis
= 4 cuillerées à soupe de maïs
= 5 cuillerées à soupe de semoule
= 6 cuillerées à soupe de légumes secs
= 1 petite patate douce
= 1/2 igname moyen
= 1 banane plantain

20 g de glucides sous forme de produits de boulangerie

= 4 morceaux de sucre n° 4
= 40 g de pain = 1/6 baguette
= 2 tranches de pain de mie standard
= 1 tranche de pain de mie américain
= 3 biscottes ordinaires
= 30 g de céréales type corn flakes
= 1 croissant = 1 brioche = 1 pain au lait
= 4 biscuits secs type petits-beurre

20 g de glucides sous forme de fruit

= 4 morceaux de sucre n° 4
= 250 g de fraises, framboises
= 1/2 gros melon
= 1 grosse tranche de pastèque
= 1 pamplemousse
= 3 clémentines
= 1 orange
= 1 grosse pêche = 2 pêches de vigne = 1 brugnon
= 3 abricots frais ou secs

= 1 pomme

= 1 poire

= 1/2 ananas

= 4 reines-claudes = 6 quetsches

= 8 à 10 mirabelles

= 2 kiwis

= 15 grains de raisin

= 1 petite banane

= 3 dattes = 3 pruneaux

= 1 mangue moyenne = 1 papaye = 2 caramboles

= 1 kaki = 3 nèfles

20 g de glucides sous forme de dessert sucré

= 4 morceaux de sucre n° 4

= 2 boules de glace = 2 boules de sorbet

= 1 laitage aux fruits ou aromatisé

= 1 dessert lacté

= 1 petite part de flan

= 1/8 de tarte = 1 tartelette

= 1 ramequin de mousse au chocolat

= 1 ramequin de salade de fruits

Les plats composés

Quelques exemples d'équivalences de certains plats composés. Pour être assez exactes, les équivalences sont données: en grammes de beurre ou d'huile selon que le plat contient de bonnes ou mauvaises graisses, et en grammes de sucre pour les glucides.

Pizza

1 petite ou 1 part (140 g) = 15 g de beurre + 35 g de sucre

1 grande (350 à 400 g) = 45 g de beurre + 80 g de sucre

1 grande aux 4 fromages = 65 g de beurre + 80 g de sucre

Quiche

1 petite ou 1 part (140 g) = 20 g de beurre + 30 g de sucre

Lasagnes

1 part (300 g) = 30 g de beurre + 40 g de sucre

Hachis Parmentier

1 part (300 g) = 20 g de beurre + 40 g de sucre

Brandade Parmentier

1 part (300 g) = 30 g d'huile + 30 g de sucre

Viennoiserie

1 pain au lait = 5 g de beurre + 20 g de sucre

1 croissant ou 1 brioche = 10 g de beurre + 20 g de sucre

1 pain au chocolat = 15 g de beurre + 35 g de sucre

1 pain aux raisins = 10 g de beurre + 35 g de sucre

Pâtisserie

1 éclair = 10 g de beurre + 30 g de sucre

1 millefeuille = 20 g de beurre + 40 g de sucre

1 tranche de cake = 5 g de beurre + 20 g de sucre

Il n'est pas possible de définir toutes les équivalences et d'être exhaustif. Par contre, il est assez facile de « traduire » en grammes de beurre, ou d'huile, et en grammes de sucre, les ingrédients d'une recette et d'en faire des équivalences. De même, il est essentiel de lire les étiquettes alimentaires, en particulier des produits finis comme les plats cuisinés, les biscuits, les desserts lactés, etc.: elles donnent des indications précieuses.

En guise de conclusion

Tout cela permet de concilier plaisir, convivialité et régularité nécessaires au bon suivi du traitement de la maladie diabétique. Il est dif-
ficile certains jours d'appliquer à la lettre les conseils donnés par les
soignants, ce qui est important est qu'une petite entorse au traitement
ne soit pas la porte ouverte au relâchement total…

Un mot sur les apports nutritionnels

Les données des calories, protides, lipides, glucides sont calculés à
partir du poids des ingrédients donnés pour la recette et par portion
(non pour 100 g). Vous pouvez donc, à votre guise, selon vos besoins
ou vos envies, les faire varier plus ou moins en faisant varier la quantité
du mets que vous consommez. Vous pouvez également appauvrir (ou
enrichir) un plat en protides, lipides ou glucides selon vos besoins, en
faisant varier l'ingrédient présent dans le mets qui apporte le nutri-
ment voulu.

Exemple : pour les recettes avec des fruits secs, si vous ne consommez
pas les fruits secs, vous n'aurez pas d'apport glucidique.

Pour les viandes, si vous ne les faites pas revenir dans la matière grasse,
votre plat sera appauvri en lipides.

Un mot sur l'index glycémique calculé

L'index glycémique représente le pouvoir hyperglycémiant d'un
aliment. C'est une valeur indicative qui peut varier d'un individu
à l'autre, et qui est surtout valable pour l'alimentation des patients
diabétiques de type 2. Ici, l'index glycémique a été calculé pour les
recettes à partir de chacun des aliments glucidiques contenus dans le
plat. Aussi l'index glycémique n'est-il pas mentionné pour les recettes
ne contenant pas ou très peu de glucides.

entrées

Salade de champignons au paprika

Lavez et épluchez les champignons. Ôtez-en le bout terreux. Essuyez-les; détaillez-les en lamelles. Lavez et épépinez le poivron. Détaillez-le en lanières. Ouvrez la boîte de maïs, rincez-le et égouttez-le. Lavez le persil, essuyez-le soigneusement et hachez-le.

Placez tous les ingrédients dans un saladier et remuez délicatement.

Préparation de la vinaigrette

Dans une jatte, mélangez les huiles, le jus de citron, le paprika. Salez, poivrez. Versez cette vinaigrette sur la salade, remuez et servez sans attendre.

Apports nutritionnels:
100 calories — 2 g de protéines,
6 g de lipides, 9 g de glucides.
Index glycémique calculé = 38.

À savoir: cette salade au goût exotique, ayant un index glycémique plutôt faible, peut être consommée en accompagnement de grillades, ce qui donne un plat équilibré.

INGRÉDIENTS
POUR 4 PERSONNES

600 g de champignons de Paris frais

1 petit poivron vert

1 boîte de 130 g de maïs doux en grains

1 petit bouquet de persil

Pour la vinaigrette

1 cuillerée à soupe d'huile d'olive vierge extra

1 cuillerée à soupe d'huile de colza ou de tournesol

1 cuillerée à soupe de jus de citron frais

½ cuillerée à café de paprika

sel, poivre

Salade au pamplemousse

INGRÉDIENTS POUR 4 PERSONNES

1 salade au choix

8 petits champignons de Paris frais

1 pamplemousse rose

POUR LA SAUCE

le jus d'1 citron non traité

1 cuillerée à soupe d'huile d'olive vierge extra

1 cuillerée à soupe d'huile de colza

1 pincée de cumin

sel, poivre

Lavez, épluchez et essorez la salade. Découpez-en les feuilles. Placez-les dans un saladier. Épluchez le pamplemousse rose, débarrassez-le des filaments blanchâtres, découpez-le en cubes. Lavez, épluchez et essuyez les champignons. Détaillez-les en lamelles. Ajoutez pamplemousse et champignons à la salade.

Préparation de la sauce

Dans une jatte, versez les deux huiles, ajoutez le jus du citron, le cumin, salez, poivrez, mélangez afin d'obtenir une préparation homogène. Versez cette préparation sur la salade, mélangez délicatement, et servez aussitôt.

Apports nutritionnels: 70 calories - traces de protéines, 6 g de lipides, 4 g de glucides.

Index glycémique calculé = 26.

À savoir: ce savoureux mélange sucré-salé, pauvre en glucides, offre un apport intéressant en fibres et vitamines.

Salade tunisienne

Lavez les tomates, détaillez-les en cubes. Lavez les poivrons, épépinez-les, découpez-les en petits dés. Lavez et pelez le concombre. Découpez-le en quatre dans le sens de la longueur, puis tronçonnez chaque partie en petits morceaux de 8 mm d'épaisseur environ. Pelez et hachez l'oignon, pelez et écrasez l'ail. Lavez la menthe, essuyez-la, hachez-la. Placez tous les ingrédients dans un saladier, mélangez bien, ajoutez l'huile d'olive et le jus de citron, salez, poivrez, mélangez bien, placez au frais 1 heure au moins et servez.

Apports nutritionnels : 90 calories - 1 g de protéines, 8 g de lipides, 4 g de glucides.

À savoir : vous pouvez ajouter du riz ou du blé cuit pour en faire un plat d'accompagnement complet.

INGRÉDIENTS POUR 4 PERSONNES

4 tomates bien mûres

1 poivron rouge

1 poivron vert

1 petit concombre

1 oignon

3 gousses d'ail

1 branche de menthe fraîche

le jus d'1 citron

3 cuillerées à soupe d'huile d'olive vierge extra

sel, poivre

Salade de poivrons
au basilic

**INGRÉDIENTS
POUR 4 PERSONNES**

1 poivron rouge

1 poivron vert

1 poivron jaune

2 belles tomates
bien mûres

1 oignon doux

2 gousses d'ail rose

12 olives noires
dénoyautées

1 cuillerée à soupe
de vinaigre aromatisé
à l'échalote

2 cuillerées à soupe
d'huile d'olive
vierge extra

1 cuillerée à soupe
de basilic haché

sel, poivre

Lavez les poivrons, placez-les sous le gril, et faites-les griller légèrement jusqu'à ce que la peau se détache. Pelez-les, épépinez-les, détaillez-les en lamelles, placez ces lamelles dans un saladier. Lavez les tomates, détaillez-les en cubes. Pelez et hachez l'oignon. Pelez et écrasez l'ail. Placez tous les ingrédients dans le saladier. Remuez. Ajoutez l'huile et le vinaigre, salez, poivrez, mélangez bien, saupoudrez de basilic haché, laissez refroidir à température ambiante et servez.

Apports nutritionnels: 115 calories - 1 g de protéines, 10 g de lipides, 4 g de glucides.

À savoir: alléger ce plat est facile, il suffit d'y mettre moins d'olives noires.

Salade d'endives au neufchâtel

Rincez les endives, ôtez les feuilles extérieures et la base, coupez-les en quatre dans le sens de la longueur, puis tronçonnez-les. Placez-les dans un saladier. Pelez l'oignon, coupez-le en rondelles. Lavez la pomme, ôtez le trognon, détaillez-la en dés. Coupez le neufchâtel en petits cubes. Placez tous les ingrédients dans le saladier.

On peut remplacer le neufchâtel par du saint-marcellin, du charolais de chèvre ou de vache, ou encore par un fromage de chèvre crémeux: cabécou, crottin ou carré de chavignol frais.

Préparation de la sauce

Dans une jatte, battez le vinaigre de cidre, l'huile de noix, la cannelle en poudre, salez, poivrez. Versez la préparation sur la salade, mélangez délicatement et servez sans attendre.

INGRÉDIENTS POUR 4 PERSONNES

6 endives

1 oignon

1 pomme non traitée

50 g de neufchâtel

Pour la sauce

1 cuillerée à soupe de vinaigre de cidre

2 cuillerées à soupe d'huile de noix

1/2 cuillerée à café de cannelle en poudre

sel, poivre

Apports nutritionnels: 115 calories - 3 g de protéines, 9 g de lipides, 5 g de glucides.

À savoir: pour respecter l'équilibre alimentaire, évitez de manger cette salade et du fromage au cours du même repas.

Salade d'épinards au chèvre frais

INGRÉDIENTS POUR 4 PERSONNES

350 g de jeunes épinards frais

1 pomme

1 petit fromage de chèvre frais

quelques noisettes

1 petit bouquet de ciboulette

1 petit bouquet de persil

POUR LA SAUCE

1 cuillerée à soupe d'huile d'olive vierge extra

1 cuillerée à soupe d'huile de colza

1 cuillerée à soupe d'huile de germe de blé

1 cuillerée à soupe de vinaigre de vin aromatisé à

l'échalote

sel, poivre

Épluchez et lavez les feuilles d'épinards, ciselez-en les feuilles et placez dans un saladier. Lavez et pelez la pomme, détaillez-la en dés. Découpez le fromage de chèvre frais en petits cubes. Lavez et ciselez la ciboulette. Faites griller les noisettes concassées grossièrement dans une poêle antiadhésive, sans matières grasses.

Ajoutez tous les ingrédients aux épinards.

Préparation de la sauce

Dans un bol, mélangez les huiles et le vinaigre de vin. Salez, poivrez. Mélangez. Versez sur la salade, remuez et servez sans attendre.

Apports nutritionnels: 100 calories - 3 g de protéines, 9 g de lipides, 6 g de glucides.

À savoir : voilà une façon originale de décliner la fameuse salade-fromage…

Salade à la grecque

Lavez et épluchez la batavia. Essorez-la. Lavez et épépinez les poivrons, découpez-les en petits cubes. Lavez les tomates, détaillez-les en rondelles. Pelez l'oignon, hachez-le grossièrement. Découpez la feta en dés. Recouvrez le fond d'un saladier de feuilles de batavia, ajoutez les cubes de poivrons, les tomates, l'oignon et la feta et mélangez délicatement.

Préparation de la sauce

Mélangez l'huile, le jus de citron, l'ail écrasé et le persil haché. Salez, poivrez, versez la sauce sur la salade. Décorez d'olives noires, mélangez et servez sans attendre.

Apports nutritionnels: 195 calories - 10 g de protéines, 15 g de lipides, 5 g de glucides.

À savoir : cette salade est assez grasse, veillez à ce que les autres plats du repas ne soient pas aussi riches en graisses.

INGRÉDIENTS POUR 6 PERSONNES

1 batavia

4 tomates

1 oignon

1 poivron vert

1 poivron rouge

200 g de feta

12 olives noires

POUR LA SAUCE

3 cuillerées à soupe d'huile d'olive

1 cuillerée à soupe de jus de citron

2 gousses d'ail

1 belle branche de persil haché

sel, poivre

Salade méditerranéenne de tomates

INGRÉDIENTS POUR 4 PERSONNES

6 tomates bien mûres

2 petits oignons blancs

2 gousses d'ail

1 petit poivron vert

3 cuillerées à soupe d'huile d'olive

le jus d'½ citron

quelques brins de ciboulette

quelques feuilles de basilic

sel, poivre

Lavez les tomates, découpez-les en rondelles. Lavez le poivron, épépinez-le, détaillez-le en petits dés. Placez-le tout dans un saladier. Pelez les oignons, hachez-les finement, pelez et écrasez l'ail, ajoutez-les aux tomates. Versez l'huile d'olive, le jus de citron, salez, poivrez, remuez et saupoudrez de ciboulette et de basilic ciselés.

Apports nutritionnels: 100 calories - 1 g de protéines, 8 g de lipides, 6 g de glucides.

À savoir : voici une recette simple, fraîche et colorée pour enchanter les soirs d'été.

Courgettes farcies aux champignons

Allumez le four à 200 °C.

Lavez les courgettes, évidez-les soigneusement en veillant à laisser un peu de chair sur les bords. Détaillez le reste de la chair en dés. Lavez, épluchez, essuyez et hachez menu les champignons. Pelez et hachez l'échalote, pelez et écrasez l'ail. Lavez et essuyez persil et ciboulette, hachez-les finement. Dans une poêle, faites revenir à l'huile d'olive la chair des courgettes en dés, les champignons de Paris, l'échalote, salez, poivrez. Faites cuire 5 minutes, ajoutez l'ail, le persil et la ciboulette. Remuez, faites cuire encore 3 minutes. Garnissez les courgettes de cette préparation, saupoudrez de chapelure et faites gratiner au four 10 minutes environ.

Apports nutritionnels : 70 calories - 1 g de protéines, 3 g de lipides, 9 g de glucides.

À savoir : l'apport calorique faible de ce « farci frais » vous permettra de manger un plat plus gras par ailleurs.

INGRÉDIENTS POUR 4 PERSONNES

4 petites courgettes

4 champignons de Paris

1 échalote

1 gousse d'ail

1 branche de persil

quelques brins de ciboulette

1 cuillerée à soupe de chapelure

1 cuillerée à soupe d'huile d'olive vierge extra

sel, poivre

Petits flans de légumes

**INGRÉDIENTS
POUR 4 PERSONNES**

2 carottes

quelques têtes
de brocolis

2 blancs de poireaux

30 cl de crème fraîche
épaisse à 8 % de
matières grasses

4 œufs

quelques brins
de ciboulette

sel, poivre

Allumez le four à 180 °C.

Pelez les carottes, lavez les brocolis, lavez les
blancs de poireaux, faites-les cuire à la vapeur
(ils doivent rester al dente). Quand ils sont
cuits, découpez-les en petits dés et placez-les
dans un saladier. Pelez et hachez l'oignon,
mélangez-le aux légumes, ajoutez les œufs
battus avec la crème fraîche, la ciboulette
lavée et ciselée, salez, poivrez. Versez cette
préparation dans des ramequins huilés, faites
cuire au bain-marie 30 minutes environ,
démoulez sur un plat ou sur chaque assiette
et servez avec une salade verte assaisonnée à
l'ail et à l'huile d'olive.

Apports nutritionnels: 120 calories - 9 g de
protéines, 7 g de lipides, 5 g de glucides.

*À savoir: l'apport en protéines de ces flans, en
fait un plat complet, adapté pour un « petit »
dîner.*

Flans d'asperges au cerfeuil

Lavez et pelez les asperges, puis coupez-les en tronçons de 3 cm de long environ. Faites-les cuire à l'autocuiseur, pendant 10 minutes après le début de rotation de la soupape (ou dans un grand volume d'eau bouillante pendant 20 à 25 minutes). Rincez-les et égouttez-les, avant de les placer sur du papier absorbant. Lavez le cerfeuil puis ciselez-le. Battez les œufs dans une jatte, ajoutez la crème fraîche, les dés de jambon, le cerfeuil, salez, poivrez, mélangez bien. Ajoutez les asperges cuites. Remplissez 4 ramequins de cette préparation, recouvrez d'une feuille de papier aluminium et faites cuire au bain-marie 30 minutes environ à 150 °C. Laissez tiédir, démoulez sur une assiette et décorez de quelques brins de cerfeuil.

INGRÉDIENTS POUR 4 PERSONNES

600 g d'asperges

50 g de dés de jambon

2 œufs

1 cuillerée à soupe de crème fraîche à 8 % de matières grasses

sel, poivre

Apports nutritionnels: 105 calories - 9 g de protéines, 5 g de lipides, 6 g de glucides.

À savoir: idée d'entrée pouvant être présentée également en buffet froid.

Terrine de courgettes au paprika

INGRÉDIENTS POUR 6 À 8 PERSONNES

1 kg de courgettes

2 oignons

2 gousses d'ail

3 œufs

2 cuillerées à soupe de crème fraîche à 8 % de matières grasses

½ cuillerée à café de paprika

sel, poivre

Allumez le four à 200/220 °C.

Pelez les courgettes ; découpez-les en rondelles. Pelez et hachez l'oignon, pelez et écrasez l'ail. Dans une poêle, faites fondre doucement les courgettes et les oignons (ils doivent rester un peu fermes) pendant 10 à 15 minutes. Ajoutez l'ail écrasé, remuez, faites cuire encore 5 minutes. Dans un saladier, battez les œufs à la fourchette, ajoutez la crème fraîche, le paprika, salez, poivrez, mélangez bien. Ajoutez les légumes à ce mélange, remuez, versez dans un moule à cake huilé, et faites cuire au bain-marie 30 minutes environ.

Apports nutritionnels : 65 calories — 4 g de protéines, 3 g de lipides, 5 g de glucides.

À savoir : coupée en morceaux, cette terrine est parfaite pour remplacer les fromages fondus ou autres chips à l'apéritif.

Terrine de légumes

Lavez les carottes et les navets, pelez-les. Découpez les carottes en rondelles et les navets en dés. Faites-les blanchir pendant 5 minutes dans une grande quantité d'eau bouillante salée. Dans une autre casserole, faites blanchir les petits pois pendant 5 minutes dans de l'eau bouillante salée également. Lavez les tomates, détaillez-les en petits dés. Lavez le poivron, épépinez-le, détaillez-le en cubes. Dans une jatte, battez les œufs en omelette avec la crème fraîche et le persil haché. Salez, poivrez. Versez cette préparation dans un moule à cake, et faites cuire au bain-marie 30 minutes environ à four chaud.

Servez tiède, accompagné d'un coulis de tomates fraîches.

INGRÉDIENTS POUR 6 À 8 PERSONNES

100 g de carottes

100 g de navets

150 g de petits pois écossés

3 tomates

1 poivron vert

5 œufs

2 cuillerées à soupe de crème fraîche à 8 % de matières grasses

1 bouquet de persil

sel, poivre

Apports nutritionnels: 100 calories — 6 g de protéines, 6 g de lipides, 5 g de glucides.

À savoir: un plat adapté pour divers repas froid tels que pique-nique, buffet…

Asperges aux poivrons

**INGRÉDIENTS
POUR 4 PERSONNES**

2 bottes d'asperges
(ou à défaut 2 grands
bocaux d'asperges)

1 poivron rouge

POUR LA SAUCE

200 g de fromage
blanc maigre

1 cuillerée à café
de paprika

sel, poivre

Faites cuire les asperges à la vapeur ou, si elles sont en bocaux, faites-les réchauffer en les plongeant rapidement dans une grande quantité d'eau bouillante.

Préparation de la sauce

Pendant ce temps, préparez la sauce : versez le fromage blanc dans un bol, ajoutez le paprika, salez, poivrez et battez le mélange.

Lavez le poivron, épépinez-le et détaillez-le en cubes. Gardez quelques lanières pour la présentation, incorporez les petits cubes à la sauce. Égouttez délicatement les asperges et placez-les sur une grande assiette plate. Nappez de sauce au fromage blanc. Décorez de lanières de poivrons et servez.

Apports nutritionnels : 75 calories — 9 g de protéines, 1 g de lipides, 7 g de glucides.

À savoir : cette entrée très colorée, faible en calories, permettra d'ouvrir le repas sur un plat plus copieux.

Taboulé au thon

Rincez la semoule pour ôter l'amidon, égout-tez-la puis placez-le dans un saladier, lissez la surface et couvrez d'eau froide à hauteur. Laissez gonfler pendant 1 heure environ en remuant de temps en temps à l'aide d'une fourchette pour émietter les grains. Recou-vrez les raisins d'eau tiède pour les réhy-drater. Quand la semoule est prête, ajoutez alors le jus des citrons pressés. Salez, poivrez. Pelez et hachez les oignons, lavez la menthe et la coriandre, et incorporez le tout. Ajou-tez d'huile d'olive, mélangez bien, placez au réfrigérateur pendant 2 heures. Avant de servir, émiettez le thon au naturel à la four-chette, lavez les tomates et le poivron, décou-pez-les en dés, ajoutez le tout au taboulé, mélangez bien, salez, poivrez si nécessaire, et servez aussitôt.

INGRÉDIENTS POUR 6 PERSONNES

200 g de semoule de blé

4 tomates

1 poivron rouge

200 g de thon en boîte au naturel

50 g de raisins secs

2 citrons

2 oignons blancs

1 bouquet de coriandre

1 bouquet de menthe fraîche

1 cuillerée à soupe d'huile d'olive

sel, poivre

Apports nutritionnels : 220 calories — 11 g de protéines, 8 g de lipides, 26 g de glucides.
Index glycémique calculé = 50.

À savoir : petite variante du taboulé tradition-nel, ce plat est complet et frais, à servir en saison chaude.

Tarte aux poireaux

**INGRÉDIENTS
POUR 4 À 6 PERSONNES**

1 rouleau de pâte
brisée toute prête

1 kg de poireaux

2 gousses d'ail

20 cl de crème fraîche à
8 % de matières grasses

4 œufs

1 pincée de noix de
muscade moulue

sel, poivre

Lavez les poireaux, découpez-les en tronçons. Faites-les fondre doucement dans une poêle, à l'huile d'olive. Ajoutez l'ail écrasé, salez, poivrez. Dans une jatte, battez les œufs, ajoutez la crème fraîche, la crème, la noix de muscade moulue et mélangez bien à la fourchette. Placez les poireaux sur le fond de tarte, versez la préparation à base d'œufs, enfournez et faites cuire 25 minutes environ.

Apports nutritionnels: 260 calories — 9 g de protéines, 15 g de lipides, 23 g de glucides.
Index glycémique calculé = 57.

À savoir: les tartes salées peuvent être consommées en «repas à emporter» à la place du sandwich.

Tarte aux oignons au cumin

Pelez les oignons, émincez-les, faites-les revenir dans une poêle, à l'huile d'olive, en veillant à ce qu'ils ne noircissent pas. Ajoutez le miel et le cumin. Placez les oignons sur la pâte déroulée. Dans une jatte, battez les œufs, ajoutez le lait et la crème fraîche, salez, poivrez, mélangez bien. Versez cette préparation sur les oignons, parsemez de gruyère râpé et faites cuire 20 à 30 minutes à four chaud (200 à 220 °C).

Apports nutritionnels: 295 calories — 10 g de protéines, 15 g de lipides, 30 g de glucides.
Index glycémique calculé = 55.

À savoir: accompagnée d'une salade verte, la tarte salée peut constituer un repas complet.

INGRÉDIENTS POUR 4 À 6 PERSONNES

1 rouleau de pâte brisée toute prête

1 kg d'oignons

3 œufs

1 verre de lait écrémé

20 cl de crème fraîche à 8 % de matières grasses

1 cuillerée à soupe de miel

½ cuillerée à café de cumin

1 cuillerée à soupe de gruyère râpé

sel, poivre

Tarte aux échalotes

**INGRÉDIENTS
POUR 4 À 6 PERSONNES**

1 rouleau de pâte
brisée toute prête

8 échalotes

3 œufs

15 cl de lait écrémé

50 g de gruyère râpé

3 cuillerées à soupe
de crème fraîche

à 8 % de matières
grasses

1 cuillerée à café de
cannelle en poudre

1 cuillerée à soupe de
graines de sésame

sel, poivre

Faites cuire la pâte à blanc dans un moule à tarte de 28 cm de diamètre. Pendant ce temps, pelez et émincez les échalotes. Faites les suer dans une poêle, à l'huile d'olive. Dans un saladier, battez les œufs entiers, ajoutez le gruyère râpé, la cannelle, salez, poivrez. Ajoutez les échalotes et mélangez bien. Versez cette préparation sur la pâte. Saupoudrez de graines de sésame. Placez au four et faites cuire 20 minutes environ à four chaud (200 °C).

Apports nutritionnels: 100 calories — 2 g de protéines, 6 g de lipides, 9 g de glucides.

À savoir : cette tarte est particulièrement intéressante pour son faible apport en graisses.

Tarte à la feta

Allumez le four à 200 °C. Déroulez la pâte dans un moule à tarte. Écrasez la feta à la fourchette. Ajoutez l'ail pelé et haché et l'huile d'olive. Dans une jatte, battez les œufs et le lait écrémé. Salez, poivrez. Ajoutez la préparation à base de feta. Versez cette garniture sur la pâte, le plus régulièrement possible. Faites cuire au four pendant 20 minutes environ. Servez chaud.

INGRÉDIENTS POUR 4 À 6 PERSONNES

1 rouleau de pâte brisée toute prête

3 cuillerées à soupe d'huile d'olive vierge extra

7 gousses d'ail

50 g de feta

20 cl de lait écrémé

4 œufs

sel, poivre

Apports nutritionnels: 275 calories — 8 g de protéines, 19 g de lipides, 18 g de glucides.
Index glycémique calculé = 60.

À savoir: accompagnée de tomates, cette tarte donnera un parfum grec à votre repas.

Tourte aux champignons au cumin

**INGRÉDIENTS
POUR 4 À 6 PERSONNES**

2 rouleaux de pâte
brisée prête à l'emploi

750 g de champignons
de Paris

6 œufs + 1 jaune
pour dorer

1 cuillerée à soupe
d'huile d'olive

2 gousses d'ail

½ cuillerée à café de
coriandre en poudre

sel, poivre

Allumez le four à 200 °C. Faites revenir à l'huile d'olive les champignons lavés, épluchés et détaillés en lamelles dans une poêle, avec l'ail haché. Garnissez un moule à tarte avec l'un des rouleaux de pâte brisée. Recouvrez avec les champignons cuits. Dans une jatte, battez les œufs, salez, poivrez et ajoutez la coriandre en poudre. Placez sur le tout l'autre rouleau de pâte (ôtez le papier sulfurisé le cas échéant). Collez ensemble les deux parties en pinçant le bord avec vos doigts mouillés. Dessinez sur la surface des croisillons à l'aide d'un couteau pointu. Creusez le centre de la tourte d'une cheminée que vous entourerez de pâte pour décorer. Dans une tasse, mélangez le jaune d'œuf à deux cuillerées à soupe de lait. Badigeonnez la tourte de cette préparation à l'aide d'un pinceau. Faites cuire 35 minutes environ à four chaud.

Apports nutritionnels: 450 calories — 13 g de protéines, 26 g de lipides, 41 g de glucides.
Index glycémique calculé = 55.

À savoir: l'apport intéressant en glucides en fait un plat complet pouvant constituer un repas à lui tout seul.

Ramequins à la feta

Dans une jatte, battez les œufs en omelette avec la crème fraîche et le curry. Ajoutez le persil et la ciboulette lavés, essuyés et finement ciselés. Salez, poivrez. Détaillez la feta en dés et ajoutez-la à la préparation. Versez dans des ramequins, et faites cuire au bain-marie pendant 25 minutes à 180 °C.

Apports nutritionnels : 270 calories — 20 g de protéines, 20 g de lipides, 2 g de glucides.

À savoir : ce plat peut remplacer un plat de viande, poisson ou œuf, tant il est riche en protéines.

**INGRÉDIENTS
POUR 4 PERSONNES**

250 g de feta

4 œufs

2 cuillerées à soupe de crème fraîche à 8 % de matières grasses

½ cuillerée à café de curry

1 petit bouquet de ciboulette

1 petit bouquet de persil

sel, poivre

Œufs cocotte aux échalotes

**INGRÉDIENTS
POUR 4 PERSONNES**

4 œufs bien frais

3 cuillerées à soupe
de dés de jambon

4 échalotes

1 cuillerée à soupe
d'huile d'olive

4 cuillerées à soupe de
crème fraîche à 8 %
de matières grasses

1 petit bouquet
de ciboulette

½ cuillerée à café
de cannelle

sel, poivre

Dans une poêle, faites fondre les échalotes à l'huile d'olive. Couper les tranches de jambons en dés. Placez-les au fond de 4 ramequins. Ajoutez les dés de jambon, une pincée de cannelle, la ciboulette lavée et ciselée, une cuillerée à soupe de crème fraîche, un œuf et une pincée de gruyère râpé. Salez et poivrez. Faites cuire à four chaud 8 à 10 minutes.

Apports nutritionnels: 130 calories — 9 g de protéines, 9 g de lipides, 3 g de glucides.

À savoir: vous pouvez substituer ce hors-d'œuvre au plat principal, sans oublier l'accompagnement légume vert ou féculent, au choix.

Potage glacé au concombre

Lavez et pelez le concombre. Tronçonnez-le. Lavez la ciboulette et le persil. Pelez l'ail. Dans le bol du mixeur, placez tous ces ingrédients. Ajoutez les yaourts, salez, poivrez et mixez. Versez la préparation dans un plat creux, placez au frais 1 heure au moins. Avant de servir, parsemez de petits dés de tomate crue. Régalez-vous!

INGRÉDIENTS POUR 4 PERSONNES

2 concombres

quelques feuilles de menthe

quelques brins de ciboulette

2 gousses d'ail

2 yaourts bulgares à 0 % de matières grasses

sel, poivre

Apports nutritionnels: 25 calories — 3 g de protéines, traces de lipides, 3 g de glucides.

À savoir : particulièrement pauvre en calories, ce potage peut être consommé également en cas de petits creux.

Potage de poireaux au basilic

INGRÉDIENTS POUR 4 PERSONNES:

3 poireaux

200 g de pommes de terre

1,5 l de bouillon de légumes

2 cuillerées à soupe de crème fraîche à 8 % de matières grasses

100 g d'oseille

quelques feuilles de basilic

1 cuillerée à soupe d'huile d'olive vierge extra

sel, poivre

Épluchez et lavez les poireaux, tronçonnez-les, faites-les fondre doucement à l'huile d'olive dans un grand faitout. Ajoutez les pommes de terre lavées, pelées et détaillées en petits dés. Versez le bouillon de légumes, remuez et faites cuire 1 heure environ. Pendant ce temps, lavez et épluchez l'oseille, hachez-la grossièrement, faites-la fondre dans une poêle dans un peu d'huile d'olive. Quand les légumes sont cuits, placez-les dans le bol du mixeur, salez, poivrez, ajoutez la crème fraîche. Versez dans une soupière, saupoudrez de basilic finement ciselé et servez bien chaud.

Apports nutritionnels: 100 calories — 3 g de protéines, 2 g de lipides, 17 g de glucides.

Index glycémique calculé = 55.

À savoir: pour les jours « sans faim », enrichissez ce potage en glucides (pommes de terre, vermicelles, tapioca…) et vous aurez un plat complet.

Potage de courgettes au basilic

Lavez les courgettes, les pommes de terre et les carottes puis pelez-les. Faites cuire les carottes et les pommes de terre à l'autocuiseur ou dans une grande quantité d'eau bouillante salée. Faites fondre les courgettes dans une poêle. Quand elles commencent à ramollir, ajoutez l'ail pelé et écrasé, remuez, faites cuire encore 3 minutes. Placez carottes, pommes de terre et courgettes cuites dans le bol du mixeur. Salez, poivrez, ajoutez le basilic lavé. Mixez. Versez dans une soupière. Parsemez de basilic haché et servez sans attendre.

INGRÉDIENTS POUR 4 PERSONNES

2 belles courgettes

2 petites pommes de terre

2 carottes

2 gousses d'ail

1 petit bouquet de basilic

sel, poivre

Apports nutritionnels: 40 calories — 1 g de protéines, traces de lipides, 9 g de glucides.
Index glycémique calculé = 48.

À savoir: pour éviter de manger des entrées toutes prêtes comme la charcuterie, n'hésitez pas à préparer du potage à l'avance, il se conserve très bien quelques jours au réfrigérateur.

Velouté frais de tomates

**INGRÉDIENTS
POUR 4 PERSONNES**

6 tomates bien mûres

1 petite boîte de
concentré de tomates

2 yaourts bulgares à
0 % de matières grasses

1 oignon

2 gousses d'ail

1 cuillerée à soupe
de cerfeuil haché

sel, poivre

Lavez et pelez les tomates. Épépinez-les. Pelez l'oignon, découpez-le en quatre. Pelez l'ail. Lavez le cerfeuil et réservez quelques feuilles. Placez tous les ingrédients dans le bol du mixeur : les tomates, le concentré, les yaourts, l'oignon, l'ail et le cerfeuil. Salez, poivrez puis mixez. Versez dans une soupière. Placez au frais et, avant de servir, parsemez de cerfeuil haché.

Apports nutritionnels : 30 calories — 3 g de protéines, traces de lipides, 4 g de glucides.

À savoir : aussi intéressant que le potage glacé au concombre, ces deux entrées peuvent être servies au choix.

Velouté de cresson (entrée froide)

Lavez et épluchez une botte de cresson. Essuyez-le. Faites-le fondre dans une poêle, dans un peu d'huile d'olive. Lavez et épluchez les poireaux, les carottes, le navet, la branche de céleri puis tronçonnez-les. Faites-les cuire dans le bouillon de légumes pendant 30 minutes. Placez ces légumes dans le bol du mixeur avec le cresson et la crème fraîche puis mixez. Versez cette préparation dans une soupière, réservez au réfrigérateur pendant 1 heure au moins et servez saupoudré de persil.

INGRÉDIENTS POUR 4 PERSONNES

1 botte de cresson

1 branche de céleri

2 blancs de poireaux

2 carottes

2 navets

1,5 l de bouillon de légumes

2 cuillerées à soupe de crème fraîche allégée

sel, poivre

Apports nutritionnels: 75 calories — 3 g de protéines, 2 g de lipides, 11 g de glucides.

À savoir : ce velouté est très frais pour un début de repas, mais aussi idéal pour un dîner « léger ».

Soupe aux amandes

**INGRÉDIENTS
POUR 4 PERSONNES**

200 g d'amandes
émondées

2 gousses d'ail

1 poivron rouge

1 poivron vert

1 cuillerée à soupe
de persil haché

½ cuillerée à café
de cumin moulu

1 cuillerée à soupe
d'huile d'olive

sel, poivre

Lavez et épépinez les poivrons, détaillez-les en petits dés. Faites-les revenir dans un grand faitout, à l'huile d'olive, avec l'ail pelé et écrasé. Salez et poivrez légèrement, ajoutez le cumin. Faites cuire 10 minutes en remuant fréquemment. Placez cette préparation dans le bol du mixeur, avec un peu d'eau. Ajoutez les amandes grossièrement hachées, mixez pour obtenir une purée fluide et homogène. Versez dans le faitout, ajoutez 1 l d'eau environ, amenez à ébullition, faites frémir 10 minutes, versez dans une soupière, saupoudrez de persil et servez.

Apports nutritionnels: 345 calories — 11 g de protéines, 29 g de lipides, 10 g de glucides.

À savoir: très originale, cette soupe est aussi très grasse, alors attention de bien choisir le plat qui l'accompagnera.

viandes

Sauté de dinde au soja

Lavez le poivron, épépinez-le, détaillez-le en lanières. Pelez et émincez l'oignon. Pelez et écrasez l'ail. Découpez les escalopes de dinde en lanières de 4 cm sur 1 cm environ. Rincez les pousses de soja. Dans une cocotte, faites revenir les poivrons à l'huile. À mi-cuisson, ajoutez les oignons, remuez et faites cuire 5 minutes, ajoutez l'ail écrasé, puis les lanières de dinde. Ajoutez le gingembre et la sauce de soja. Salez, poivrez. Faites cuire 5 à 10 minutes en remuant fréquemment. Ajoutez les pousses de soja, remuez délicatement afin de ne pas les briser, faites cuire encore 5 minutes et servez avec du riz.

INGRÉDIENTS POUR 4 PERSONNES

600 g d'escalope de dinde

200 g de germes de soja

1 poivron rouge

1 oignon

2 gousses d'ail

½ cuillerée de gingembre râpé

2 cuillerées à soupe de sauce de soja

1 cuillerée à soupe d'huile

sel, poivre

Apports nutritionnels: 175 calories — 23 g protéines, 8 g de lipides, 3 g de glucides.

À savoir: n'hésitez pas à donner du goût à la viande avec des épices, dépourvues de calories, plutôt que d'utiliser trop de matières grasses.

Dinde au cidre

**INGRÉDIENTS
POUR 4 PERSONNES**

800 g de dinde
environ (sans os)

4 beaux champignons
de Paris

2 carottes

2 oignons

2 gousses d'ail

1 verre de cidre doux

1 pomme

1 cuillerée à
soupe d'huile

sel, poivre

Détaillez la pièce de dinde en gros cubes. Dans une cocotte, faites-les revenir à l'huile. Quand ils sont bien dorés, ajoutez les oignons pelés et hachés, les carottes en fins bâtonnets, les champignons de Paris lavés et détaillés en lamelles et l'ail écrasé. Arrosez de cidre, faites cuire 15 minutes environ. Ajoutez la pomme pelée et détaillée en petits dés, faites cuire encore 15 minutes. Servez dans un plat, nappé de sauce, accompagné des légumes de votre choix.

Apports nutritionnels: 270 calories — 48 g de protéines, 4 g de lipides, 11 g de glucides.

À savoir: pensez à cuisiner avec des boissons alcoolisées, une fois cuites, l'alcool s'est évaporé et donne une sauce très parfumée.

Rouleaux de dinde au fromage frais

Étalez les escalopes de dinde. Dans une jatte, mélangez le fromage frais allégé, les oignons pelés et hachés, les champignons de Paris lavés et détaillés en lamelles, la ciboulette et le persil lavés, essuyés et hachés, le sel et le poivre. Mélangez bien et fouettez pour obtenir une préparation homogène. Enroulez chaque escalope sur elle-même et maintenez-la dans cette position à l'aide d'une pique en bois ou d'un cure-dent. Placez dans un faitout, et faites cuire à l'huile d'olive pendant 15 à 20 minutes à petit feu, en arrosant de temps en temps de bouillon de légumes.

INGRÉDIENTS POUR 4 PERSONNES

4 escalopes de dinde assez fines

un fromage frais allégé à tartiner

2 petits oignons

4 champignons de Paris

1 cuillère à soupe d'huile d'olive

quelques brins de ciboulette

quelques brins de persil

½ l de bouillon de légumes

sel, poivre

Apports nutritionnels: 160 calories — 25 g de protéines, 4 g de lipides, 5 g de glucides.

À savoir : c'est une façon originale d'accommoder la viande de dinde qui nécessite toujours d'être relevée.

Rôti de dinde aux tomates

INGRÉDIENTS POUR 6 À 8 PERSONNES

1 rôti de dinde de 800 g à 1 kg

1 poivron rouge

1 poivron vert

4 tomates

2 oignons

1 branche de thym

quelques feuilles de laurier

1 petit bouquet de persil

2 cuillerées à soupe de crème fraîche allégée

1 verre de jus de tomates ou une petite boîte de concentré

de tomates diluées dans de l'eau

1 bouillon de légumes à prévoir

sel, poivre

Laver les poivrons, épépinez-les et détaillez-les en lamelles. Lavez les tomates, détaillez-les en gros cubes. Pelez les oignons, hachez-les grossièrement. Dans une cocotte, faites dorer le rôti de tous les côtés pendant 10 minutes environ. Réservez-le. Faites alors revenir les oignons jusqu'à ce qu'ils soient transparents, ajoutez les poivrons, faites cuire 5 minutes. Replacez alors le rôti, puis ajoutez les tomates, le thym, le persil lavé et haché, salez, poivrez, arrosez de jus de tomates. Faites mijoter 1 heure environ à feu doux, en ajoutant un peu de bouillon de légumes si nécessaire. Découpez le rôti, dressez sur un plat et servez avec la sauce à part, accompagné de riz ou de toute autre céréale (millet, boulgour, orge perlé…).

Apports nutritionnels: 185 calories — 36 g de protéines, 3 g de lipides, 4 g de glucides.

À savoir: pensez à utiliser le jus de cuisson « maigre » (c'est-à-dire un jus sans ajout de matières grasses) des viandes pour arroser le féculent ou le légume vert qui accompagnera ce plat.

Lanières de dinde aux olives et au citron

Détaillez les escalopes en lamelles. Faites-les revenir à l'huile d'olive dans un faitout. Lavez et pelez les courgettes, lavez le citron, détaillez-les en rondelles. Ajoutez-les à la dinde, remuez, faites cuire 5 à 10 minutes, ajoutez le basilic haché et les olives noires. Salez, poivrez, faites cuire encore 5 minutes et servez.

Apports nutritionnels : 190 calories — 36 g de protéines, 6 g de lipides, 2 g de glucides.

À savoir : les olives, et l'huile qu'elles fournissent, possèdent des acides gras d'excellente qualité, mais elles apportent malgré tout autant de calories que tout autre huile ou fruit oléagineux.

INGRÉDIENTS POUR 4 PERSONNES

4 escalopes de dinde

2 courgettes

2 citrons non traités

1 cuillerée à soupe de basilic haché

12 olives noires à la grecque

1 cuillerée à soupe d'huile d'olive

sel, poivre

Dinde forestière

**INGRÉDIENTS
POUR 4 PERSONNES**

4 escalopes de dinde

4 champignons
de Paris frais

1 oignon

½ verre de vin
rouge (6 à 7 cl)

½ cuillerée à soupe
de sauge en poudre

sel, poivre

Découpez les escalopes de dinde en cubes.
Faites-les dorer dans une poêle. Ajoutez alors
l'oignon pelé et haché, faites-le fondre doucement, puis ajoutez les champignons lavés,
épluchés et détaillés en lamelles. Saupoudrez de sauge, salez, poivrez, mouillez au vin
rouge, baissez le feu et faites cuire encore 5 à
10 minutes. Servez avec des pâtes fraîches,
du riz sauvage ou tout autre féculent, à votre
convenance.

Apports nutritionnels: 165 calories — 33 g de
protéines, 3 g de lipides, 2 g de glucides.

*À savoir : la sauce de ce plat parfumera très bien
du riz blanc ou des pommes vapeur.*

Escalopes de poulet au curry

Dans une poêle, faites revenir les escalopes de poulet. Pendant ce temps, pelez et hachez les échalotes. Placez-les dans la poêle et faites-les fondre doucement en remuant. Ajoutez la crème fraîche et mélangez en déglaçant avec une cuillère en bois. Salez, poivrez, ajoutez le curry et le piment de Cayenne, faites cuire encore 2 à 3 minutes. Dressez les escalopes dans un plat, nappez de sauce et servez aussitôt avec des haricots verts et/ou de petites pommes de terre sautées à l'ail.

INGRÉDIENTS POUR 4 PERSONNES

4 escalopes de dinde

4 échalotes

2 cuillerées à soupe de crème fraîche allégée

1 cuillerée à café de curry

½ cuillerée à café de piment de Cayenne

sel, poivre

Apports nutritionnels : 170 calories — 33 g de protéines, 3 g de lipides, 2 g de glucides.

À savoir : les épices utilisées sont courantes, mais accompagné de blé ou de boulgour, ce plat complet vous fera voyager.

Poulet à l'indienne

INGRÉDIENTS POUR 4 PERSONNES

4 escalopes de poulet

2 gousses d'ail

2 yaourts bulgares maigres

1 cuillerée à café de cumin en poudre

1 cuillerée à café de coriandre

1 cuillerée à café de paprika

½ cuillerée à café de piment de Cayenne

½ cuillerée à café de gingembre en poudre

le jus d'½ citron non traité

sel, poivre

Dans un plat creux, mettez l'ail écrasé, le cumin en poudre, la coriandre, le paprika, le piment de Cayenne et le gingembre en poudre. Arrosez de jus d'un demi-citron. Ajoutez le yaourt, mélangez bien. Placez les escalopes dans cette marinade. Réservez au frais 1 à 2 heures. Faites ensuite cuire les escalopes au four (position gril) pendant 10 à 15 minutes, en arrosant régulièrement de marinade et en retournant à mi-cuisson. Placez sur un lit de salade verte, décorez de rondelles de citron, et servez avec du riz ou des céréales complètes.

Apports nutritionnels: 220 calories — 44 g de protéines, 3 g de lipides, 4 g de glucides.

À savoir: pensez aux marinades pour parfumer les viandes car elles entrent souvent dans la composition de plats pauvres en graisses.

Brochettes de poulet aux pruneaux

Découpez le blanc de poulet en gros dés. Faites tremper les pruneaux 2 heures dans de l'eau à peine tiède. Dénoyautez-les. Lavez et épluchez les champignons de Paris, découpez-les en quatre. Lavez le poivron, détaillez-le en carrés. Huilez les brochettes. Enfilez alternativement les cubes de dinde, les pruneaux égouttés, les champignons de Paris et les carrés de poivron sur les brochettes. Salez, poivrez, saupoudrez d'herbes de Provence, et faites-les griller sur toutes leurs faces pendant 15 minutes environ. Servez accompagné d'une salade verte.

INGRÉDIENTS POUR 4 PERSONNES

800 g de blanc de poulet cru

16 petits pruneaux

8 champignons de Paris

1 poivron

1 cuillerée à soupe d'herbes de Provence

sel, poivre

Apports nutritionnels : 230 calories — 42 g de protéines, 2 g de lipides, 11 g de glucides.

À savoir : ce plat ne vous apportera pas de glucides si vous ne consommez pas les pruneaux, mais ce fruit séché parfume très bien les volailles.

Poulet au citron

**INGRÉDIENTS
POUR 4 PERSONNES**

1 poulet coupé
en quatre

2 citrons

2 échalotes

2 cuillerées à soupe de
crème fraîche allégée

1 verre de bouillon
de légumes

quelques feuilles de
menthe fraîche

sel, poivre

Placez les morceaux de poulet dans un plat creux. Arrosez de jus de citron. Faites macérer pendant 1 heure environ, égouttez-les et faites-les revenir dans un faitout. Ajoutez les échalotes hachées puis remuez. Salez, poivrez, arrosez de marinade, versez le bouillon de légumes et faites cuire à feu doux et à couvert pendant 30 minutes. Disposez sur un plat. Ajoutez la crème fraîche allégée au jus de citron, remuez pour lier, chauffez 2 minutes et versez cette sauce sur le poulet. Décorez de rondelles de citron et de feuilles de menthe, et servez.

Apports nutritionnels : 280 calories — 45 g de protéines, 10 g de lipides, 3 g de glucides.

À savoir : le citron permet de faire des marinades dépourvues de calories, pensez-y !

Poulet au basilic
et au gingembre

Versez les deux yaourts à la grecque dans une cocotte. Ajoutez le gingembre et le paprika. Remuez, faites cuire à feu doux pendant 3 minutes sans cesser de remuer. Découpez les escalopes en dés, jetez-les dans la cocotte, salez, poivrez, remuez et laissez mijoter pendant environ 10 minutes à petit feu, tout en remuant. En fin de cuisson, rajoutez le basilic ciselé. Servez avec des légumes verts ou des pommes de terre.

INGRÉDIENTS
POUR 4 PERSONNES

4 escalopes de poulet

2 yaourts à la grecque maigres

1 cuillerée à soupe de basilic haché

1 cuillerée à café de racine de gingembre râpée

½ cuillerée à café de paprika

sel, poivre

Apports nutritionnels: 200 calories — 34 g protéines, 6 g lipides, 3 g de glucides.

À savoir : puisque ce plat est maigre, vous pouvez l'accommoder d'un légume cuisiné.

Poulet à l'ananas

INGRÉDIENTS
POUR 4 À 6 PERSONNES

4 cuisses de poulet

2 oignons

2 gousses d'ail

1 petite boîte d'ananas

½ cuillerée à café de noix de muscade râpée

1 citron

sel, poivre

Pelez les oignons, hachez-les grossièrement. Faites-les revenir dans une cocotte, jusqu'à ce qu'ils deviennent transparents. Ajoutez les cuisses de poulet, faites-les dorer à feu vif puis baissez la flamme et faites cuire encore 30 minutes en retournant les cuisses régulièrement, afin qu'elles ne noircissent pas. Ajoutez les morceaux d'ananas égouttés, la noix de muscade, salez, poivrez, arrosez de jus de citron et faites cuire encore 30 minutes à feu doux. Servez avec du riz.

Apports nutritionnels: 220 calories — 36 g de protéines, 6 g de lipides, 5 g de glucides.

À savoir: les recettes sucré-salé, comme les plats de la cuisine chinoise, sont plus salées que sucrées, donc pas de raison de s'en priver lorsque l'on est diabétique!

Poulet à l'estragon

Pelez et écrasez l'ail. Lavez et hachez le persil. Mélangez ces deux ingrédients à l'estragon haché. Farcissez le poulet de cette préparation. Disposez-le dans un plat. Salez, poivrez, arrosez de vin blanc et du jus d'un demi-citron. Faites cuire à four chaud (200 °C) pendant 1 heure environ. Découpez le poulet et dressez sur un plat. Décorez de rondelles de citron et de feuilles d'estragon.

Apports nutritionnels : 260 calories — 45 g de protéines, 8 g de lipides, 2 g de glucides.

À savoir : n'hésitez pas à parfumer vos plats avec une boisson alcoolisée, qui donnera du goût mais pas de calories !

**INGRÉDIENTS
POUR 4 À 6 PERSONNES**

1 poulet prêt à cuire

2 cuillerées à soupe d'estragon haché

1 bouquet de persil

2 gousses d'ail

quelques feuilles entières d'estragon

1 petit verre de vin blanc sec (12 cl environ)

1 citron non traité

sel, poivre

Poulet à la tomate

**INGRÉDIENTS
POUR 4 À 6 PERSONNES**

1 poulet coupé
en morceaux

2 gousses d'ail

5 tomates moyennes

1 poivron rouge

1 poivron vert

3 oignons

1 cuillerée à soupe
d'huile d'olive

sel, poivre

Découpez le poulet en morceaux. Faites-les revenir dans une cocotte avec un peu d'huile d'olive. Pendant ce temps, pelez et hachez les oignons, coupez les poivrons en dés. Quand les morceaux de poulet sont dorés, ôtez-les de la cocotte et réservez-les.

Jetez alors les oignons et les poivrons dans la cocotte, faites-les fondre doucement, ajoutez l'ail écrasé, faites cuire 5 minutes. Ajoutez alors les tomates concassées grossièrement, remuez et faites cuire 15 minutes en remuant de temps en temps. Replacez alors le poulet avec les légumes et laissez mijoter à feu doux 30 minutes.

Apports nutritionnels : 210 calories — 34 g de protéines, 6 g de lipides, 5 g de glucides.

À savoir : pour rendre ce plat complet, vous pouvez y ajouter quelques pommes de terre.

Côtes de porc marinées

Dans une jatte, mélangez tous les ingrédients, sauf les côtes de porc, que vous placez dans un plat creux. Versez la préparation sur les côtes de porc. Placez au frais 2 heures au moins en retournant la viande de temps en temps. Faites cuire au four (position gril) pendant 15 à 20 minutes en retournant à mi-cuisson, ou au barbecue.

Apports nutritionnels : 390 calories — 35 g de protéines, 28 g de lipides, traces de glucides.

À savoir : la viande de porc a souvent mauvaise presse à tort, car elle contient des acides gras de bonne qualité.

**INGRÉDIENTS
POUR 4 PERSONNES**

4 côtes de porc
dégraissées

2 cuillerées à soupe de
vinaigre balsamique

2 cuillerées à soupe
d'huile d'olive
vierge extra

1 jus de citron

2 gousses d'ail

quelques feuilles
de laurier

quelques branches
de thym

½ cuillerée de piment
de Cayenne

quelques gouttes
de Tabasco

sel, poivre

Côtes de porc pimentées

**INGRÉDIENTS
POUR 4 PERSONNES**

4 côtes de porc maigres

2 tomates

une petite boîte de
concentré de tomates

2 oignons

2 gousses d'ail

1 branche de thym

½ cuillerée à café de
piment de Cayenne

½ cuillerée à café
de paprika

½ cuillerée à
café de curry

1 grand verre de
bouillon de légumes

2 cuillerées à soupe
de crème fraîche

à 8 % de matières
grasses

sel, poivre

Dans une cocotte, faites cuire les côtes de porc. Quand elles sont dorées, ajoutez les oignons pelés et hachés grossièrement. Remuez. Quand les oignons sont devenus transparents, ajoutez le curry, le piment de Cayenne, le paprika, le grand verre de bouillon de légumes, la branche de thym, l'ail écrasé, les tomates découpées en petits cubes. Salez, poivrez. Couvrez et laissez cuire 30 minutes à feu doux. Ajoutez alors la crème fraîche allégée, mélangez puis faites cuire encore 5 minutes. Dressez dans un plat (veillez à ôter les branches de thym) et servez avec du riz ou des tomates à la provençale.

Apports nutritionnels: 350 calories — 37 g de protéines, 21 g de lipides, 3 g de glucides.

À savoir: souvenez-vous que la meilleure graisse pour faire cuire la viande est celle qu'elle renferme, inutile donc d'ajouter des matières grasses pour la faire dorer.

Côtes de porc à l'origan

Dans un saladier, mélangez l'origan, le vinaigre, l'huile d'olive vierge extra et le jus de citron. Salez, poivrez. Placez les côtes de porc dans cette marinade pendant 1 heure au moins. Allumez le four (position gril) ; placez les côtes de porc sur une grille et laissez les cuire pendant 20 minutes en les retournant à mi-cuisson, tout en les arrosant régulièrement avec la marinade. Quand elles sont cuites, placez-les dans un plat, agrémentez de riz, décorez de rondelles de citron et servez sans attendre.

INGRÉDIENTS POUR 4 PERSONNES

4 côtes de porc

2 cuillerées à soupe d'origan

2 cuillerées à soupe de vinaigre aromatisé à l'échalote

2 cuillerées à soupe d'huile d'olive vierge extra

1 jus de citron non traité

sel, poivre

Apports nutritionnels : 370 calories — 36 g de protéines, 25 g de lipides, traces de glucides.

À savoir : les épices et herbes aromatiques sont les meilleurs amis des personnes désireuses de manger moins gras.

Rôti de porc à la moutarde

**INGRÉDIENTS
POUR 6 PERSONNES**

1 rôti de porc de
1,2 kg dans un
morceau bien maigre

3 cuillerées à soupe
de moutarde de Dijon

2 gousses d'ail

2 oignons coupés
en rondelles

1 verre de bouillon
de légumes

sel, poivre

Dans une jatte, mélangez la moutarde, l'ail et les oignons épluchés et hachés finement. À l'aide d'un gros pinceau, badigeonnez le rôti de cette préparation. Salez, poivrez, versez le bouillon de légumes dans le plat et faites cuire au four (180 à 200 °C) pendant 1 heure 15 environ.

Apports nutritionnels : 215 calories — 33 g de protéines, 5 g de lipides, 9 g de glucides.

À savoir : vous pouvez ajouter en fin de cuisson des légumes verts et pommes de terre qui cuiront dans ce jus et les parfumeront.

Porc sauté au céleri

Coupez l'épaule de porc en gros cubes. Pelez et hachez l'oignon, pelez et écrasez l'ail. Lavez le céleri, émincez-le. Dans une cocotte, faites revenir les morceaux de porc jusqu'à ce qu'ils soient dorés de tous les côtés. Salez, poivrez, ajoutez les oignons hachés, le céleri émincé, remuez puis faites cuire 5 minutes. Ajoutez l'ail écrasé, les feuilles de sauge, le thym, et la ciboulette ciselée. Remuez, laissez cuire 5 minutes à feu moyen. Mouillez de vin blanc, remuez encore, couvrez et faites cuire 1 heure. Ajoutez alors les câpres et les cornichons détaillés en rondelles, remuez, faites cuire 5 minutes. Dressez dans un plat et servez.

Apports nutritionnels : 410 calories — 43 g de protéines, 26 g de lipides, traces de glucides.

À savoir : vous pouvez diviser l'apport en lipides de ce plat par trois en le cuisinant avec du filet mignon.

INGRÉDIENTS POUR 6 À 8 PERSONNES

1,2 kg d'épaule de porc désossée et dégraissée

1 branche de céleri

2 oignons

2 gousses d'ail

1 petit verre de vin blanc sec (12 cl environ)

2 cuillerées à soupe de câpres

6 cornichons

quelques feuilles de sauge

quelques branches de thym

1 petit bouquet de ciboulette

2 jaunes d'œufs

sel, poivre

Ragoût de porc aux oignons

INGRÉDIENTS POUR 6 PERSONNES

1,2 kg de viande de porc maigre désossée

4 oignons

2 gousses d'ail

2 cuillerées à soupe de farine

1 verre de bouillon de légumes

1 petite boîte de concentré de tomates

1 bouquet de persil

sel, poivre

Dans une cocotte, faites dorer le porc détaillé en gros cubes. Quand ces morceaux ont pris une jolie couleur sur toutes leurs faces, incorporez les oignons pelés et hachés grossièrement. Saupoudrez la viande avec de la farine, et mouillez avec du bouillon jusqu'à ce que la viande en soit recouverte. Saupoudrez de persil, ajoutez le concentré de tomates dilué dans un peu d'eau. Salez, poivrez, faites cuire à petit feu et à couvert 1 heure environ. Servez avec des haricots verts sautés à l'ail.

Apports nutritionnels: 405 calories — 43 g de protéines, 22 g de lipides, 8 g de glucides.

À savoir : la viande de porc est beaucoup moins persillée que la viande de bœuf ou de mouton. Donc, une fois dégraissée, elle est relativement maigre selon les morceaux.

Bœuf sauté aux pistaches

Découpez la viande en lanières, arrosez-la de jus de citron, salez, poivrez, saupoudrez de paprika et de piment en poudre. Dans une poêle, faites revenir les pistaches, l'ail haché et écrasé et les oignons pelés et émincés. Ajoutez les lanières de bœuf, faites cuire à point, dressez dans un plat et servez bien chaud avec des haricots rouges.

Apports nutritionnels : 370 calories — 40 g de protéines, 22 g de lipides, 2 g de glucides.

À savoir : vous pouvez commander chez votre boucher de la joue de bœuf pour faire ce plat, qui n'en sera que plus maigre.

INGRÉDIENTS POUR 4 PERSONNES

800 g de bœuf bien maigre

1 citron non traité

½ cuillerée à café de paprika

½ cuillerée à café de piment en poudre

2 oignons

2 gousses d'ail

quelques pistaches concassées grossièrement

sel, poivre

Rôti de bœuf au vin rouge

**INGRÉDIENTS
POUR 6 PERSONNES**

1,2 kg de rôti de bœuf

2 oignons

2 gousses d'ail

1 branche de céleri

1 carotte

1 branche de romarin

1 boîte de tomates
pelées

1 verre de vin rouge
(12,5 cl environ)

1 bouillon de
légumes à prévoir

sel, poivre

Pelez et écrasez l'ail. Effeuillez et hachez le romarin. Dans un bol, mélangez ces ingrédients, salez, poivrez. Percez un trou au centre du rôti et fourrez-le de cette préparation. Lavez, pelez et hachez les oignons, le céleri et la carotte. Dans une cocotte, faites-les roussir. Ajoutez la viande jusqu'à ce qu'elle soit bien dorée sur toutes les faces. Mouillez de vin rouge, ajoutez les tomates pelées concassées, et faites cuire pendant 1 heure 30 environ (ajoutez un peu de bouillon de légumes si nécessaire). Découpez la viande, placez-la dans un plat, nappez de sauce et servez sans attendre.

Apports nutritionnels: 260 calories — 40 g de protéines, 10 g de lipides, 2 g de glucides.

À savoir: prenez l'habitude de faire revenir les aliments dans la cocotte sans y ajouter de matières grasses; une fois la recette terminée, cela ne se sent pas, notamment pour ces plats très parfumés.

Galettes de bœuf
à la noix de muscade

Ciselez la ciboulette et le persil. Placez la mie de pain dans le lait. Dans une jatte, écrasez la viande hachée. Ajoutez le persil, la ciboulette, le jus de citron, la noix de muscade et la cannelle. Salez, poivrez et mélangez bien. Ajoutez la mie de pain imbibée de lait, malaxez afin d'obtenir une préparation homogène. Formez huit boulettes que vous aplatirez de la paume de la main. Faites cuire dans une poêle, 2 à 3 minutes sur chaque face. Servez avec une salade verte.

Apports nutritionnels : 300 calories — 31 g de protéines, 16 g de lipides, 8 g de glucides.

À savoir : voilà une manière originale d'accommoder le bœuf, ou même d'utiliser les restes de pot-au-feu ou bourguignon.

INGRÉDIENTS POUR 4 PERSONNES

600 g de viande de bœuf hachée

50 g de mie de pain

20 cl de lait

1 bouquet de persil

quelques brins de ciboulette

le jus d'un citron

1 cuillerée à café de noix de muscade râpée

½ cuillerée à café de cannelle en poudre

sel, poivre

Palets de bœuf aux tomates

**INGRÉDIENTS
POUR 4 PERSONNES**

600 g de bœuf
bien maigre

1 petite tomate

1 petite boîte de
concentré de tomates

3 cuillerées à soupe
de chapelure

½ verre de lait écrémé

2 échalotes

2 gousses d'ail

2 carottes

1 petit bouquet de persil

1 petit verre de vin
rouge (12 cl environ)

100 g de farine de
blé complète

1 bouquet de ciboulette

1 citron non traité

sel, poivre

Dégraissez la viande de bœuf. Passez-la au mixeur (si vous utilisez de la viande hachée, écrasez-la à la fourchette dans une jatte). Ajoutez la chapelure et le lait écrémé. Malaxez bien à l'aide d'une fourchette. Pelez les échalotes, hachez-les. Pelez l'ail, écrasez-le. Découpez la tomate en petits dés en réservant la pulpe, écrasez-la à la fourchette, passez-la au tamis pour retirer le jus en excès. Râpez les carottes. Faites revenir échalotes et ail dans une poêle pendant 3 minutes en remuant constamment. Ajoutez la pulpe de la tomates, le concentré de tomates et les carottes râpées. Quand ils sont cuits, placez-les dans la jatte avec la ciboulette lavée, essuyée et hachée, le vin, 50 g de farine de blé complète, salez, poivrez, malaxez bien avec les mains. Placez le reste de la farine sur un plateau. Avec les mains, formez des boulettes de la taille d'une belle mandarine. Aplatissez-les et placez-les sur la farine, retournez-les. Les galettes doivent être totalement recouvertes de farine.

Faites chauffer le restant d'huile d'olive dans la poêle ayant servi à la cuisson des légumes. Placez-y les galettes, faites cuire environ 5 minutes par face, disposez sur le plat de service et servez décoré de rondelles de citron.

Apports nutritionnels: 220 calories — 29 g de protéines, 8 g de lipides, 9 g de glucides.

À savoir: dégraissez la viande au maximum; vous obtiendrez un plat peu gras et original.

Boulettes de bœuf aux oignons

Dans une jatte, écrasez la viande de bœuf à la fourchette. Pelez et hachez finement les oignons, pelez et écrasez l'ail. Lavez la menthe, ciselez-la finement. Ajoutez tous ces ingrédients à la préparation ainsi que le cumin et une cuillerée à soupe de farine. Malaxez bien. Formez des boulettes que vous roulerez dans la farine. Faites chauffer l'huile d'olive dans une poêle, quand elle est bien chaude, jetez-y les boulettes et retournez-les fréquemment pour qu'elles soient uniformément dorées. Servez avec une salade verte ou une céréale de votre choix.

INGRÉDIENTS POUR 4 PERSONNES

600 g de viande de bœuf hachée

2 oignons

2 gousses d'ail

une branche de menthe

½ cuillerée à café de cumin en poudre

2 cuillerées à soupe de farine de blé complète

1 cuillerée à soupe d'huile d'olive

sel, poivre

Apports nutritionnels: 215 calories — 30 g de protéines, 7 g de lipides, 8 g de glucides.

À savoir: pour alléger ce plat, choisissez de la viande hachée à 5 % de matières grasses.

Ragoût de bœuf aux raisins secs

INGRÉDIENTS POUR 4 PERSONNES

800 g de bœuf dans un morceau bien maigre

2 courgettes

2 tomates

1 oignon

4 gousses d'ail

1 verre de vin rouge (12,5 cl environ)

1 branche de sauge

2 cuillerées à soupe de raisins secs

1 bouillon de légumes à prévoir

sel, poivre

Lavez et pelez les courgettes, découpez-les en rondelles. Lavez les tomates et détaillez-les en dés. Pelez l'oignon, hachez-le. Pelez et écrasez l'ail. Lavez la sauge, hachez-la finement. Faites gonfler les raisins secs dans une tasse d'eau tiède. Découpez la viande de bœuf dégraissée en gros cubes. Faites-les dorer sur toutes les faces dans un grand faitout. Ajoutez l'oignon haché, l'ail écrasé, les courgettes, les tomates, remuez et faites cuire à feu moyen pendant 5 minutes. Mouillez au vin rouge, salez, poivrez. Portez à ébullition, couvrez, et laissez mijoter 10 minutes. Égouttez les raisins secs, ajoutez-les à la préparation ainsi que la sauge, ajoutez un peu de bouillon de légumes si nécessaire. Laissez mijoter encore 15 minutes et servez avec de la semoule de blé ou un légume de votre choix.

Apports nutritionnels : 390 calories — 43 g de protéines, 20 g de lipides, 9 g de glucides.

À savoir : servi accompagné de semoule que vous mouillerez avec la sauce obtenue, ce plat sera équilibré.

Brochettes de bœuf
à la citronnelle

Préparation de la marinade

Lavez et hachez la citronnelle. Dans une jatte, mélangez-la avec l'ail pelé et haché, l'oignon haché, le gingembre et la sauce nuoc mâm. Arrosez d'un filet d'huile d'olive.

Découpez la viande en cubes. Faites mariner au moins 30 minutes. Pelez et épépinez le poivron, découpez-le en cubes. Enfilez sur les brochettes la viande et les morceaux de poivron. Salez et poivrez les brochettes. Faites cuire au barbecue ou au four (position gril), en retournant les brochettes à mi-cuisson. Disposez sur un plat, saupoudrez de feuilles de menthe et de coriandre hachées et régalez-vous !

Apports nutritionnels : 280 calories — 28 g de protéines, 18 g de lipides, 2 g de glucides.

À savoir : pour un barbecue entre amis et profiter de la fête, vous pouvez accompagner ces brochettes d'épis de maïs que vous ferez également griller.

**INGRÉDIENTS
POUR 4 PERSONNES**

600 g de bœuf

quelques feuilles de menthe et de coriandre

1 poivron rouge

sel

POUR LA MARINADE

2 cuillerées à soupe de citronnelle

2 gousses d'ail écrasées

1 oignon

1 cuillerée à café de racine de gingembre râpée

1 cuillerée à soupe d'huile d'olive

1 cuillerée à soupe de sauce nuoc mâm

Brochettes de veau
à la cannelle

**INGRÉDIENTS
POUR 4 PERSONNES**

600 g de veau
bien maigre

2 oignons

12 tomates cerises

1 branche de persil

4 gousses d'ail

sel, poivre

POUR LA MARINADE

1 cuillerée à soupe
d'huile d'olive

1 jus de citron non traité

1 bouquet de
menthe fraîche

1/2 cuillerée à café
de cannelle

1 pincée de
coriandre moulue

Préparation de la marinade

Pelez l'ail, lavez et essuyez et hachez la menthe fraîche. Dans une jatte, placez le jus de citron, l'huile d'olive, l'ail haché, la menthe fraîche, la cannelle et la coriandre. Salez, poivrez.

Dégraissez les morceaux de veau, détaillez-les en cubes. Placez-les dans la marinade et réservez au frais 2 heures en retournant les morceaux de temps en temps. Ôtez les morceaux de veau de la marinade et enfilez-les sur des brochettes, avec en alternance de l'oignon et une tomate cerise bien lavée. Faites cuire au four, position gril, pendant 5 minutes par face environ, en arrosant régulièrement de marinade. Servez saupoudré de persil frais haché.

Apports nutritionnels: 200 calories - 27 g de protéines, 9 g de lipides — 2 g de glucides.

À savoir: la brochette est une bonne façon de contrôler la quantité de viande (donc de graisses) consommée, pensez-y!

Sauté de veau à la coriandre

Préparation de la marinade

Dans une jatte, placez l'oignon pelé et haché menu, l'ail pelé et écrasé, les graines de coriandre moulues, le concentré de tomates dilué dans un grand bol d'eau, le vin blanc sec, le thym émietté, le laurier, deux cuillerées à soupe d'huile d'olive et la ciboulette lavée et hachée. Salez, poivrez.

Détaillez la pièce de veau en gros cubes de 3 à 4 cm de côté environ. Placez les morceaux de veau dans cette marinade. Remuez, arrosez-les bien. Placez au frais pendant 2 heures, en les retournant de temps en temps. Passé ce délai, égouttez les morceaux de veau, ôtez les branches de thym et les feuilles de laurier, et roulez la viande dans la farine de blé complète.

Jetez les morceaux de veau dans une poêle contenant un peu d'huile d'olive bien chaude, et faites-les dorer sur toutes les faces pendant 5 à 10 minutes. Versez la marinade, remuez, laissez cuire encore 10 minutes, ajoutez un peu de bouillon de légumes si nécessaire, goûtez pour éventuellement rectifier l'assaisonnement.

Apports nutritionnels : 240 calories — 28 g de protéines, 10 g de lipides - 9 g de glucides.

À savoir : cette recette prouve qu'un plat en sauce n'est pas plus gras qu'une viande grillée ; tout dépend de ce que l'on met dedans.

INGRÉDIENTS POUR 4 PERSONNES

800 g de viande de veau bien maigre

1 cuillerée à soupe de persil haché

4 cuillerées à soupe de farine de blé

1 cuillerée à soupe d'huile d'olive

1 bouillon de légumes à prévoir

sel, poivre

POUR LA MARINADE

1 oignon

4 gousses d'ail

2 cuillerées à soupe de graines de coriandre moulues

1 petite boîte de concentré de tomates

1 verre de vin blanc sec (12,5 cl environ)

2 cuillerées à soupe d'huile d'olive

1 branche de thym

1 branche de laurier

1 cuillerée à soupe de ciboulette hachée

Sauté de veau aux abricots et aux raisins secs

INGRÉDIENTS POUR 4 PERSONNES

800 g de viande de veau maigre

250 g d'abricots secs

1 petite tasse de raisins secs

2 oignons

1/2 cuillerée à café de cannelle

3 cuillerées à soupe d'huile d'olive vierge extra

sel, poivre

Réhydratez les abricots et les raisins secs en les plaçant dans deux bols d'eau tiède. Pelez les oignons puis hachez-les. Découpez l'échine de porc en gros cubes. Faites-les cuire dans un grand faitout dans l'huile d'olive. Veillez à les faire bien dorer sur toutes les faces, puis ajoutez les oignons hachés et remuez bien. Faites cuire jusqu'à ce que les oignons deviennent transparents, puis ajoutez la cannelle, les abricots et les raisins égouttés. Salez, poivrez et remuez. Couvrez et laissez mijoter environ 30 minutes. Servez avec un plat de semoule de blé complète, de boulgour ou de millet.

Apports nutritionnels: 420 calories — 29 g de protéines, 16 g de lipides, 39 g de glucides.

Index glycémique calculé: 43.

À savoir: vous pourrez facilement choisir la quantité de glucides consommés en incorporant plus ou moins de fruits secs. Notez qu'à choisir, préférez les abricots secs aux raisins secs, leur index glycémique respectif étant de 31 et 64.

poissons et crustacés

salade de poivrons au basilic

terrine de légumes

œufs cocotte aux échalotes

poulet au basilic et au gingembre

côtes de porc marinées

bœuf sauté aux pistaches

sauté de veau aux abricots et aux raisins secs

saumon aux olives noires

filets de sole aux courgettes

colin à la noix de coco

crevettes sautées au curry

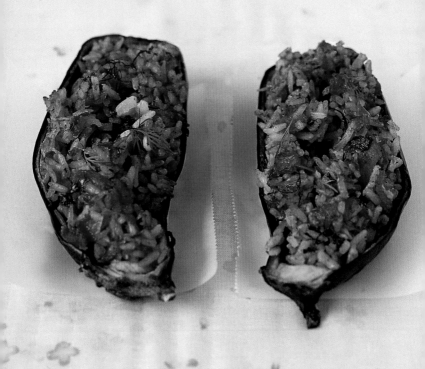

aubergines farcies

omelette exotique

salade vitaminée à l'eau de fleur d'oranger

compote de mirabelle au gingembre

sorbet aux poires et aux amandes grillées

Saumon aux olives noires

Lavez les poivrons, épépinez-les et détaillez-les en petits cubes. Lavez les tomates, détaillez-les en gros dés. Pelez les échalotes, hachez-les finement. Pelez et écrasez l'ail. Lavez le basilic et l'estragon, essuyez-les soigneusement à l'aide d'un torchon propre, et hachez-les. Lavez la courgette, pelez-la et tronçonnez-la. Dans un grand faitout, faites revenir les échalotes et l'ail hachés en remuant constamment et en veillant à ce qu'ils ne noircissent pas. Ajoutez la courgette, les poivrons, faites cuire 5 minutes et, tout en remuant, ajoutez les tomates, le basilic et l'estragon. Salez, poivrez, remuez à nouveau et faites cuire à feu doux.

Pendant que les légumes cuisent (veillez à remuer de temps en temps), faites cuire les darnes de saumon dans une poêle, à l'huile d'olive, quelques minutes de chaque côté. Quand elles sont cuites, fondantes, mais non dorées, coupez le feu. Disposez les petits légumes cuits sur un récipient plat. Placez au-dessus les darnes de saumon. Arrosez de jus de citron, décorez avec les olives noires, le persil et le basilic et servez.

INGRÉDIENTS POUR 4 PERSONNES

4 darnes de saumon

1 courgette

1 poivron rouge

1 poivron vert

2 tomates

2 échalotes

4 gousses d'ail

quelques feuilles de laurier

1 branche de basilic

1 branche d'estragon

1 jus de citron

80 g d'olives noires dénoyautées

quelques branches de persil et de basilic pour la décoration

1 cuillerée à soupe d'huile d'olive

sel, poivre

Apports nutritionnels: 255 calories — 20 g de protéines, 18 g de lipides, 3 g de glucides.

À savoir : le poisson n'est pas forcément moins gras que la viande mais il a l'avantage d'apporter de « bonnes » graisses (acides gras insaturés).

Saumon grillé au gingembre

INGRÉDIENTS POUR 4 PERSONNES

4 darnes de saumon

1 jus de citron non traité

2 cuillerées à soupe d'huile d'olive vierge extra

1/2 cuillerée à café de cumin en poudre

1/2 cuillerée à café de gingembre

2 gousses d'ail

sel, poivre

Placez les darnes de saumon dans un plat creux et arrosez-les d'huile d'olive et de jus de citron. Saupoudrer de cumin et de gingembre, ajoutez le thym et le laurier. Salez, poivrez et réservez au frais pendant 1 heure. Ôtez les feuilles de laurier et les branches de thym et faites cuire au four (position gril) ou au barbecue.

Apports nutritionnels: 225 calories — 18 g de protéines, 17 g de lipides, traces de glucides.

À savoir : attention, même si les graisses apportées par ce plat sont de bonnes qualités, elles n'en sont pas moins caloriques, pensez donc à accompagner ce poisson de légumes « maigres » (c'est-à-dire cuits à la vapeur).

Brochettes de saumon au vin blanc

Préparation de la marinade

Versez le vin blanc sec dans une jatte. Ajoutez l'huile d'olive, le yaourt bulgare, l'ail haché et le jus de citron, puis le persil, la ciboulette, l'aneth et le fenouil hachés. Poivrez.

Pelez l'oignon et coupez-le en huit morceaux. Lavez et épépinez le poivron, découpez-le en carrés. Lavez et épluchez les champignons, et découpez-les en deux dans le sens de la hauteur. Lavez les tomates, découpez-les en huit. Découpez le saumon en dés. Huilez les brochettes. Enfilez les légumes et les morceaux de saumon en les alternant, arrosez de marinade. Salez et réservez au frais 1 heure.

Égouttez sur du papier absorbant, salez, poivrez, puis faites griller les brochettes au four position gril à 200 °C pendant 5 minutes de chaque côté, en arrosant de temps en temps avec la marinade.

Apports nutritionnels : 305 calories — 26 g de protéines, 20 g de lipides, 5 g de glucides.

À savoir : vous obtiendrez un plat moins calorique en faisant exactement la même chose avec un poisson plus maigre, comme le merlu ou la lotte.

**INGRÉDIENTS
POUR 4 PERSONNES**

600 g de saumon

1 poivron vert

2 oignons

8 petits champignons de Paris

3 tomates

sel, poivre

Pour la marinade

1 petit verre de vin blanc sec (12 cl environ)

1 yaourt bulgare

1 cuillerée à soupe d'huile d'olive

2 gousses d'ail hachées

1 jus de citron non traité

1 pincée de fenouil séché

1 branche de persil

1 branche d'aneth

1 petit bouquet de ciboulette

Saumon à la tomate

INGRÉDIENTS POUR 4 PERSONNES

4 darnes de saumon

3 tomates

1 petite boîte de concentré de tomates

1 poivron rouge

1 poivron vert

1 pincée de paprika

2 gousses d'ail

1 branche de persil

quelques brins de ciboulette

sel, poivre

Rincez le saumon. Essuyez-le. Détaillez-le en gros dés. Lavez les poivrons, épépinez-les, détaillez-les en carrés. Lavez les tomates, découpez-les en dés. Diluez le concentré de tomates dans une tasse d'eau tiède. Pelez et écrasez l'ail. Lavez, essuyez et hachez persil et ciboulette. Dans une poêle, faites revenir les gousses d'ail écrasées pendant 3 minutes, sans cesser de remuer. Ajoutez les poivrons coupés en cubes, les tomates, remuez bien, faites cuire 5 minutes environ. Incorporez les cubes de saumon, faites-les cuire sur toutes les faces pendant 5 minutes environ. Ajoutez le paprika, le persil et la ciboulette hachés, remuez délicatement et faites cuire à couvert encore 5 minutes environ avant de servir. Si la préparation attache ou semble trop sèche, on peut mouiller avec du bouillon de légumes, un peu de sauce de soja diluée dans un verre d'eau pour une saveur exotique, ou à défaut de l'eau.

Apports nutritionnels : 195 calories — 19 g de protéines, 12 g de lipides, 2 g de glucides.

À savoir : ce plat se marie très bien avec du riz sauvage, que vous pouvez arroser de la garniture du poisson.

Sole gratinée au vin blanc

Faites revenir les échalotes et l'oignon pelés et hachés dans une cocotte, à l'huile d'olive; mouillez au vin blanc. Ajoutez les filets de sole, salez, poivrez, et faites cuire à couvert et à feu doux environ 15 minutes. Retournez les filets de sole à mi-cuisson avec une pelle.

Disposez les filets de sole cuits dans un plat allant au four; arrosez de sauce, ajoutez le concentré de tomates dilué dans un verre d'eau tiède, saupoudrez d'emmenthal râpé ou de chapelure et enfournez pour 15 minutes à 200 °C.

**INGRÉDIENTS
POUR 4 PERSONNES**

4 filets de sole

1 verre de vin blanc sec

4 échalotes

1 oignon

1 petite boîte de concentré de tomates

1 cuillerée à soupe d'huile d'olive

sel, poivre

Apports nutritionnels: 130 caloriés — 24 g de protéines, 4 g de lipides, 1 g de glucides.

À savoir: de façon générale, préférez gratiner vos plats avec de la chapelure plutôt qu'avec du fromage. C'est moins gras et donc mieux pour le poids, le taux de cholestérol et les artères…

Filets de sole
aux courgettes

**INGRÉDIENTS
POUR 4 PERSONNES**

4 filets de sole

2 petites courgettes

1 bouquet d'aneth

1 jus de citron

sel, poivre

Lavez les courgettes, pelez-les, détaillez-les en rondelles. Dans une poêle à l'huile d'olive, faites revenir les courgettes salées et poivrées 5 minutes à feu doux.

Ajoutez les filets de sole que vous ferez cuire 5 minutes environ sur chaque face, arrosez de jus de citron, mouillez au vin blanc.

Disposez dans un plat avec les courgettes autour. Saupoudrez d'aneth.

Servez avec du riz ou des pommes de terre vapeur.

Apports nutritionnels: 100 calories — 19 g de protéines, 1 g de lipides, 4 g de glucides.

À savoir: cette recette peu très bien être réalisée avec un autre poisson maigre, tels que le colin, le merlu, la julienne, etc. Les valeurs nutritionnelles sont alors à peu près les mêmes que la version avec sole.

Turbot à la tomate

Placez les filets de turbot dans un plat creux. Arrosez-les de jus de citron et d'huile d'olive. Réservez au frais. Pendant ce temps, faites fondre les oignons pelés et hachés dans une cocotte. Quand ils sont devenus transparents, mouillez au vin blanc puis ajoutez les tomates concassées, l'ail écrasé, le thym et le laurier.

Versez sur les filets de turbot, arrosez d'un petit verre de bouillon de légumes, parsemez d'olives noires dénoyautées et faites cuire 20 minutes à four chaud.

Apports nutritionnels: 135 calories — 25 g de protéines, 2 g de lipides, 4 g de glucides.

À savoir: les poissons sont souvent cuisinés avec de la matière grasse pour qu'ils aient du goût (friture, sauce crème, beurre noir…). Cette recette montre qu'accompagné d'ingrédients maigres et parfumés, le poisson peut également avoir beaucoup de saveur.

INGRÉDIENTS POUR 4 PERSONNES

4 filets de turbot

2 jus de citrons non traités

1 petite boîte de tomates

1 petit verre de vin blanc sec

2 petits oignons

2 gousses d'ail

quelques feuilles de laurier

1 branche de thym

1 petit verre de bouillon de légumes

quelques olives noires dénoyautées

sel, poivre

Turbot à la crème de thym

**INGRÉDIENTS
POUR 4 PERSONNES**

4 filets de turbot

4 cuillerées à soupe
de crème fraîche à
8 % de matières

grasses

1 verre de bouillon
de légumes

1 citron non traité

1 cuillerée à soupe
d'huile d'olive

1 bouquet de thym frais

sel, poivre

Versez le bouillon de légumes dans une casserole, placez-y les branches de thym. Faites frémir 2 minutes. Ajoutez la crème fraîche et faites réduire à petit feu. Filtrez hors du feu et maintenez au chaud. Faites dorer les filets de turbot dans une poêle à l'huile d'olive. Salez, poivrez.

Placez chaque filet de turbot sur une assiette. Nappez de sauce, décorez de rondelles de citron et de quelques branches de thym frais et servez aussitôt avec du riz ou de petites pommes de terre nouvelles.

Apports nutritionnels: 175 calories — 19 g de protéines, 10 g de lipides, 2 g de glucides.

À savoir: l'avantage des poissons maigres est que, même s'ils sont cuisinés avec un peu de matières grasses, le plat reste peu calorique. Il est cependant conseillé d'utiliser de la crème fraîche allégée.

Lotte façon exotique

Rincez et essuyez soigneusement le morceau de lotte. Découpez-le en cubes.

Dans une jatte, versez la sauce de soja, la sauce d'huîtres, le jus de citron, la racine de gingembre râpée, la coriandre, l'ail écrasé et une cuillerée à soupe d'huile d'olive. Placez les morceaux de lotte dans cette marinade, en les retournant de temps en temps afin qu'ils soient bien imprégnés sur chaque face.

Dans une cocotte, faites revenir à l'huile d'olive les morceaux de lotte jusqu'à ce qu'ils soient bien dorés de tous les côtés.

Saupoudrez de persil haché et servez accompagné de pousses de soja fraîches sautées.

Apports nutritionnels : 150 calories — 28 g de protéines, 4 g de lipides, traces de glucides.

À savoir : les marinades parfument les viandes et poissons, ce qui permet de ne pas rajouter de matières grasses pour que le plat ait du goût. Une fois mariné, si le poisson ou la viande est frit, tout le bénéfice est perdu… pensez-y !

**INGRÉDIENTS
POUR 4 PERSONNES**

1 morceau de lotte de 600 à 800 g

2 cuillerées à soupe de sauce de soja

1 cuillerée à soupe de sauce d'huîtres

(en vente en grande surface ou dans les magasins asiatiques)

1 jus de citron non traité

1 cuillerée à café de racine de gingembre râpée

1 cuillerée à café de coriandre moulue

1 gousse d'ail

2 cuillerées à soupe d'huile d'olive

Thon aux pommes

**INGRÉDIENTS
POUR 4 PERSONNES**

800 g de darnes de thon

2 pommes

3 échalotes

2 cuillerées à soupe
de crème fraîche
allégée à 8 % de

matières grasses

3 cuillerées à soupe
de vinaigre de vin

1/2 cuillerée à café
de cannelle

sel, poivre

Rincez le thon soigneusement. Découpez-le en gros dés. Saupoudrez-le de cannelle. Pelez et hachez les échalotes. Pelez les pommes, détaillez-les en dés. Dans une cocotte, faites revenir les échalotes jusqu'à ce qu'elles deviennent transparentes. Versez le vinaigre, remuez, puis ajoutez les morceaux de thon et de pommes. Salez, poivrez et remuez délicatement. Faites cuire encore 3 minutes à feu moyen. Baissez la flamme et ajoutez la crème fraîche, remuez, faites cuire 2 minutes, placez dans un plat et servez sans attendre.

Apports nutritionnels : 250 calories — 31 g de protéines, 10 g de lipides, 9 g de glucides.

À savoir : si vous voulez enrichir ce plat en glucides, pour éviter de cuisiner un accompagnement, augmentez la quantité de pommes.

Sauté de thon aux champignons

Lavez et épluchez les champignons, coupez-les en fines lamelles. Pelez et hachez les échalotes, pelez et écrasez l'ail. Découpez les morceaux de thon en gros cubes, faites-les revenir dans une cocotte à l'huile d'olive, mouillez au vin blanc, ajoutez les échalotes et l'ail haché, les champignons, faites cuire 20 minutes à couvert, salez, poivrez, laissez cuire encore 5 minutes.

Disposez dans un plat, saupoudrez de persil haché et servez aussitôt, décoré de rondelles de citron.

INGRÉDIENTS POUR 4 PERSONNES

1 morceau de thon de 600 g environ

3 échalotes

2 gousses d'ail

1 verre à moutarde de vin blanc

300 g de champignons de Paris frais

1 bouquet de persil

1 citron non traité

1 cuillerée à soupe d'huile d'olive

sel, poivre

Apports nutritionnels : 260 calories — 39 g de protéines, 9 g de lipides, 5 g de glucides.

À savoir : le thon est réputé être un poisson gras, mais il l'est seulement sous forme de conserve à l'huile ! Ce poisson a l'avantage d'avoir beaucoup de goût et de bien se tenir à la cuisson ; il peut être simplement grillé quand on manque de temps pour cuisiner.

Boulettes de thon
au paprika

**INGRÉDIENTS
POUR 4 PERSONNES**

1 grande boîte de
thon au naturel

1 cuillerée à soupe
de chapelure

1 oignon

1 bouquet de persil

2 cuillerées à café
de moutarde

1 œuf

1 tasse de farine

1 cuillerée à
soupe d'huile

sel, poivre

Pelez et hachez l'oignon, lavez et ciselez le persil. Dans une jatte, émiettez le thon à la fourchette, mélangez-le à la chapelure, à l'oignon et au persil. Ajoutez la moutarde, la mayonnaise et l'œuf battu. Salez, poivrez, puis formez des boulettes et roulez-les dans la farine. Faites-les dorer dans une poêle préalablement huilée et servez avec du riz et un coulis de tomates.

Apports nutritionnels : 140 calories — 23 g de protéines, 3 g de lipides, 5 g de glucides.

À savoir : cette recette particulièrement maigre vous permettra de l'accompagner d'un mets plus riche en matières grasses.

Colin à l'estragon

Faites cuire les lentilles 30 minutes dans une casserole d'eau dans laquelle vous aurez mis l'oignon pelé et piqué de clous de girofle.

Faites chauffer une grande quantité d'eau salée dans laquelle vous aurez versé le jus des 2 citrons et ajouté le laurier et le thym.

Découpez les filets de colin en carrés de 4 cm de côté environ. Pochez-les 3 minutes dans l'eau bouillante, égouttez-les et réservez-les.

Lavez l'estragon, hachez-le menu, mettez-le dans un bol avec le vinaigre et la moutarde, salez, poivrez. Égouttez les lentilles, rincez-les à l'eau froide (réchauffez-les ensuite une à deux minutes au micro-ondes), mettez-les dans un plat, versez-y la préparation à base de moutarde, mélangez bien.

Ajoutez les morceaux de colin aux lentilles en remuant doucement pour ne pas les briser, saupoudrez de persil haché et servez aussitôt.

INGRÉDIENTS POUR 4 PERSONNES

400 g de filets de colin

2 branches d'estragon

250 g de lentilles

2 jus de citron non traités

1 oignon

quelques clous de girofle

1 cuillerée à soupe de moutarde forte

2 cuillerées à soupe de vinaigre

2 feuilles de laurier

1 branche de thym

1 branche de persil

sel, poivre

Apports nutritionnels : 290 calories — 33 g de protéines, 2 g de lipides, 35 g de glucides.
Index glycémique calculé = 30.

À savoir : ne vous laissez pas impressionner par le nombre de calories de ce plat, il contient déjà l'accompagnement. Les légumes secs, en particulier les lentilles, ont un index glycémique faible. Il est conseillé d'en prévoir au moins une fois par semaine dans ses menus.

Curry de colin

**INGRÉDIENTS
POUR 4 PERSONNES**

600 g de filets de colin

1 tête de brocolis

2 pommes de terre

2 oignons

2 gousses d'ail

1/2 cuillerée à café de piment de Cayenne

1 cuillerée à soupe de curry

1 cuillerée à café de gingembre râpé

1 poivron rouge

2 grands verres de bouillon de légumes

1 yaourt bulgare maigre

1 cuillerée à soupe d'huile d'olive

1 bouquet de persil

sel, poivre

Rincez les filets de colin. Détaillez-les en cubes de 3 à 4 cm de côté. Pressez les citrons, versez le jus sur le poisson, saupoudrez de curry.

Pelez les oignons, hachez les grossièrement. Pelez le poivron, détaillez-le en lanières de 1 cm de large sur 3 cm de long environ.

Lavez les brocolis, détaillez-le en bouquets, pelez les pommes de terre et coupez-les en petits cubes.

Faites dorer les oignons 5 minutes dans un large faitout à l'huile d'olive. Ajoutez l'ail haché, le gingembre, le piment de Cayenne, le poivron, les brocolis et les pommes de terre.

Ajoutez les morceaux de colin et faites-les dorer sur toutes les faces. Versez les grands verres de bouillon de légumes, faites mijoter 15 minutes à feu doux puis ajoutez le yaourt bulgare. Poursuivez la cuisson encore 2 minutes, disposez dans un plat, saupoudrez de persil ciselé et servez.

Apports nutritionnels : 170 calories — 29 g de protéines, 1 g de lipides, 11 g de glucides.

À savoir : pensez aux yaourts et au fromage blanc maigres pour réaliser des sauces chaudes ou froides, vous obtiendrez ainsi des sauces onctueuses, goûteuses et peu caloriques.

Colin à la noix de coco

Allumez le four à 200 °C. Pelez les oignons, détaillez-les en rondelles. Dans un plat à gratin, disposez les oignons et placez les filets de colin par dessus. Saupoudrez de noix de coco râpée, de coriandre et de paprika. Arrosez de lait de coco. Couvrez le plat de papier aluminium. Faites cuire au four pendant 45 minutes à 200 °C.

Apports nutritionnels: 150 calories — 23 g de protéines, 5 g de lipides, 3 g glucides.

À savoir: vous pouvez ajouter des pommes de terre dans le plat, elles auront un petit parfum de coco.

INGRÉDIENTS POUR 4 PERSONNES

4 filets de colin

2 oignons

50 g de noix de coco râpée

1 verre de lait de coco ou à défaut 1 yaourt bulgare

1/2 cuillerée à café de coriandre

1/2 cuillerée à café de cannelle

1/2 cuillerée à café de paprika

sel, poivre

Filets de mérou au céleri

4 filets de mérou

1 branche de céleri

2 tomates

3 gousses d'ail

3 citrons

herbes de Provence

sel, poivre

Préparation de la marinade : 1 heure

Mélangez le jus de 2 citrons pressés, l'ail écrasé et les herbes de Provence.

Placez-y les filets de mérou, retournez-les plusieurs fois pour qu'ils s'imprègnent bien de la préparation et placez au réfrigérateur 1 heure environ.

Préparation de la sauce

Pendant ce temps, épluchez et hachez le céleri, pelez et épépinez les tomates, mélangez-les dans un bol avec le jus du troisième citron.

Faites griller les filets de mérou bien égouttés 5 à 10 minutes de chaque côté au four (position gril) en les arrosant de temps en temps avec la marinade.

Servez aussitôt, recouvert de la sauce au céleri.

Apports nutritionnels : 120 calories — 22 g de protéines, 2 g de lipides, 3 g de glucides.

À savoir : vous pouvez également consommer ce plat froid, en salade, en rajoutant des légumes : céleri, tomates, salade verte… Il constitue alors un hors-d'œuvre peu calorique.

Mérou pimenté

Dans une cocotte, faites revenir l'ail pelé et écrasé, l'oignon pelé et haché, le gingembre et le paprika. Lorsque les oignons sont devenus transparents, ajoutez le piment de Cayenne et le tabasco. Salez, poivrez, arrosez de bouillon de légumes et laisser mijoter pendant 20 minutes. Pendant ce temps, faites revenir le poisson dans une poêle à l'huile d'olive 3 minutes de chaque côté. Placez les tranches de poisson dans la cocotte, faites cuire 5 minutes de chaque côté, et servez avec un riz créole.

Apports nutritionnels: 95 calories — 21 g de protéines, 1 g de lipides, traces de glucides.

À savoir : cette recette est particulièrement inté-ressante sur le plan calorique, pensez-y lorsque vous avez envie de manger une pâtisserie en dessert ou du foie gras en entrée…

INGRÉDIENTS POUR 4 PERSONNES

600 g de mérou en tranches

2 oignons

1 cuillerée à café de paprika

2 gousses d'ail écrasées

1/2 cuillerée à café de piment de Cayenne

quelques gouttes de tabasco

1 cuillerée à café de gingembre en poudre

1 petit verre de bouillon de légumes

1 cuillerée à soupe d'huile d'olive

sel, poivre

Filets de maquereau au cidre

INGRÉDIENTS POUR 4 PERSONNES

8 filets de maquereau

1 oignon

1 branche d'estragon

1 branche de cerfeuil

quelques feuilles de laurier

1 branche de thym

1 cuillerée à soupe de vinaigre de cidre

1 petit verre de cidre brut

1 citron non traité

1 petite pomme

sel, poivre

Pelez et émincez l'oignon. Lavez et pelez la pomme. Râpez-la. Placez les filets de maquereau dans un plat, salez, poivrez, ajoutez tous les ingrédients. Laissez mariner quelques heures au frais. Égouttez les filets, et faites-les cuire au barbecue quelques minutes en arrosant régulièrement avec la marinade.

Apports nutritionnels : 215 calories — 19 g de protéines, 13 g de lipides, 5 g de glucides.

À savoir : comme le vin, et toutes les boissons alcoolisées, le cidre est un excellent ingrédient culinaire, car il permet d'obtenir des sauces très parfumées sans calorie superflue, l'alcool s'évaporant à la cuisson.

Cabillaud en papillotes aux poireaux

Lavez et épluchez les poireaux et les carottes, détaillez-les en petits bâtonnets. Pelez et hachez les échalotes. Déposez sur chaque feuille de papier aluminium la moitié de la quantité des poireaux, carottes et échalotes. Déposez sur ce lit de légumes les filets de cabillaud. Salez, poivrez, recouvrez du reste des légumes. Arrosez chaque filet et ses légumes de jus de citron.

Fermez les papillotes et cuisez 10 à 12 minutes à four chaud (200 °C).

INGRÉDIENTS POUR 4 PERSONNES

4 filets de cabillaud

2 blancs de poireaux

2 carottes

2 échalotes

1 jus de citron vert non traité

4 feuilles de papier aluminium de 25 cm de côté

sel, poivre

Apports nutritionnels : 130 calories — 23 g de protéines, 1 g de lipides, 7 g de glucides.

Les légumes verts et aromates sont parfaits pour donner du goût au poisson en papillote, il ne faut donc pas hésiter à les utiliser « à volonté » ; sur le plan calorique, c'est toujours mieux que l'huile.

Brochettes de merlu à l'orange

INGRÉDIENTS POUR 4 PERSONNES

600 g de merlu

2 oranges

3 jus de citron

3 gousses d'ail

1 cuillerée à café de racine de gingembre râpée

1 cuillerée de graines de coriandre réduites en poudre

1l2 cuillerée à café de piment de Cayenne

sel, poivre

Détaillez le merlu en cubes de 3 à 4 cm de côté. Placez-le dans un plat creux, arrosez du jus des 3 citrons, ajoutez l'ail haché, le gingembre râpé, la coriandre en poudre et le piment de Cayenne.

Laissez mariner 1 heure au frais en retournant les morceaux de temps en temps. Ôtez les morceaux de merlu de la marinade, placez-les au four (position gril), et faites les dorer sur toutes les faces environ 15 minutes.

Pelez les oranges, détaillez-les en quartiers.

Enfilez les quartiers d'orange en alternance avec les morceaux de merlu cuits sur les brochettes non huilées, arrosez de marinade, salez, poivrez et replacez au four (position gril toujours) environ 5 minutes de chaque côté.

Servez aussitôt, accompagné d'une salade verte ou de riz.

Apports nutritionnels: 175 calories — 32 g de protéines, 2 g de lipides, 7 g de glucides.

À savoir: le sucré-salé a très souvent beaucoup de succès dans les dîners, grâce à son originalité. Pensez à cette recette peu calorique pour des repas qui comporteront des desserts gras (pâtisserie): vous allierez ainsi plaisir et équilibre alimentaire.

Gratin d'églefin aux champignons

Faites cuire l'églefin au court-bouillon. Ôtez les arêtes. Faites revenir l'églefin émietté dans une poêle, avec un peu d'huile. Arrosez d'un peu de jus de citron, salez, poivrez, remuez, faites cuire 5 à 10 minutes. Lavez et épluchez les champignons, détaillez-les en lamelles. Faites-les revenir dans une poêle. Ajoutez l'ail écrasé et le reste du jus de citron. Faites cuire 5 minutes en remuant. Dans un plat à gratin allant au four, disposez en couches le poisson, les champignons et les œufs durs détaillés en rondelles. Parsemez de gruyère râpé, salez, poivrez, ajoutez une pointe de muscade, arrosez de bouillon de légumes. Battez la crème avec du sel, du poivre et le fromage râpé. Versez le tout dans le plat et faites gratiner.

Apports nutritionnels: 300 calories — 38 g de protéines, 14 g de lipides, 6 g de glucides.

À savoir: ce plat est riche en protéines de toutes sortes, vous pouvez donc vous dispenser du fromage ou du laitage à la fin du repas.

INGRÉDIENTS POUR 4 PERSONNES

600 g d'églefin (ou, à défaut, de cabillaud)

400 g de champignons de Paris

1 jus de citron

4 œufs durs

3 cuillerées à soupe de crème fraîche à 8 % de matières grasses

50 g d'emmenthal râpé

1 gousse d'ail

1 pointe de noix de muscade râpée

1 verre de bouillon de légumes

1 cuillerée à soupe d'huile d'olive

sel, poivre

Filets d'églefin au citron

**INGRÉDIENTS
POUR 4 PERSONNES**

800 g de filets d'églefin

2 citrons non traités

1 cuillerée à café de
cumin en poudre

1 bouquet de coriandre

1/2 verre de bouillon
de légumes

ll2 verre de vin blanc sec

1 cuillerée à soupe
d'huile d'olive

sel, poivre

Allumez le four à 200 °C. Dans un plat allant au four, disposez les filets d'églefin. Arrosez d'un filet d'huile d'olive et parsemez de rondelles de citron. Saupoudrez de cumin et de coriandre. Arrosez de bouillon de légumes et de vin blanc sec. Salez, poivrez. Enfournez pendant 25 à 30 minutes.

Servez avec du riz, du blé ou de la semoule.

Apports nutritionnels : 210 calories — 35 g de protéines, 7 g de lipides, 1 g de glucides.

À savoir : pour obtenir un plat complet sans trop de matières grasses, vous pourrez parfumer le féculent d'accompagnement avec le jus de cuisson du poisson.

Crevettes sautées au curry

Lavez les champignons, épluchez-les et détaillez-les en lamelles. Pelez l'oignon. Émincez-le. Faites le fondre dans une poêle à l'huile d'olive pendant 5 minutes. Ajoutez les champignons, les petits pois cuits, le demi-poivron rouge lavé, épépiné et découpé en carrés, l'ail pelé et écrasé, les crevettes décortiquées. Salez, poivrez, faites cuire 10 minutes, ajoutez le curry, remuez, faites cuire encore 5 minutes et servez.

Apports nutritionnels: 135 calories — 13 g de protéines, 6 g de lipides, 7 g de glucides.

À savoir : servi avec du riz ou de la semoule, cette recette constitue un plat complet. Elle pourra même être préparée à l'occasion d'un buffet ou d'un pique-nique.

INGRÉDIENTS POUR 4 PERSONNES

200 g de crevettes décortiquées

200 g de champignons de Paris

1 tasse de petits pois surgelés ou frais, cuits

1/2 poivron rouge

1 oignon

1 œuf dur

1 gousse d'ail

1/2 cuillerée à café de curry

1 cuillerée à soupe d'huile d'olive

sel, poivre

Brochettes de Saint-Jacques

**INGRÉDIENTS
POUR 4 PERSONNES**

16 coquilles
Saint-Jacques

16 fines tranches de
jambon de Bayonne

8 échalotes

quelques feuilles
de laurier

quelques branches
de thym

sel, poivre

Ouvrez les coquilles Saint-Jacques. Détachez la noix, ôtez-en la petite poche noire. Lavez-les soigneusement puis absorber l'eau à l'aide d'un torchon propre. Hachez les feuilles de laurier, émiettez les branches de thym, saupoudrez-en les coquilles. Salez légèrement, poivrez. Enveloppez chaque coquille d'une tranche de jambon de Bayonne. Enfilez alors sur les brochettes en alternant avec la moitié d'une échalote pelée. Placez les brochettes au four (position gril) et faites cuire jusqu'à ce que le jambon soit grillé. Servez avec du riz sauvage.

Apports nutritionnels : 300 calories — 38 g de protéines, 15 g de lipides, 3 g de glucides.

À savoir : le raffinement simple de ce plat peut en faire une idée pour un repas de fête.

Moules au coulis de tomates et au basilic

Grattez et lavez les moules, ébarbez-les puis rincez-les soigneusement. Jetez-les dans une grande cocotte. Arrosez de vin blanc et de bouillon de légumes. Ajoutez le persil haché, les oignons, l'ail et l'échalote pelés et hachés. Couvrez et laissez mijoter à feu moyen pendant 10 minutes.

Retirez chaque moule de sa coquille; réservez-les. Jetez celles qui sont restées fermées et les coquilles vides. Filtrez le jus de cuisson, faites-le réduire de moitié à feu doux dans une casserole. Lavez et pelez les tomates, passez-les au mixeur, filtrez. Ajoutez-les au jus de cuisson, laissez cuire à feu moyen pendant 5 à 10 minutes sans cesser de remuer. Le liquide doit réduire de moitié. Ajoutez le basilic haché. Incorporez ensuite les moules à cette préparation, remuez délicatement, et faites cuire à feu doux 5 minutes environ. Servez saupoudré de persil haché.

INGRÉDIENTS POUR 4 PERSONNES

2 l de moules

500 g de tomates bien mûres

2 gousses d'ail

2 oignons

2 échalotes

1 petit verre de vin blanc sec

1 l de bouillon de légumes

1 cuillerée à soupe de basilic haché

1 petit bouquet de persil

sel, poivre

Apports nutritionnels: 75 calories — 8 g de protéines, 1 g de lipides, 8 g de glucides.

À savoir: ce plat est particulièrement intéressant car quasiment dépourvu de matières grasses. C'est pourquoi on peut manger des frites avec les moules et respecter l'équilibre alimentaire!

accompagnements et plats uniques

Riz aux raisins secs et à la menthe

Placez les raisins secs dans un bol d'eau chaude. Préparez un riz pilaf. Dans une grande cocotte, faites revenir les tomates pelées et épépinées, les oignons pelés et hachés avec le vinaigre. Ajoutez le piment de Cayenne et la cannelle en poudre. Salez, poivrez. Incorporez le riz, mélangez bien, ajoutez un peu de bouillon de légumes si nécessaire. Ajoutez la menthe lavée et hachée, le gingembre en poudre, les raisins secs égouttés, faites cuire encore 2 minutes et servez.

Apports nutritionnels: 225 calories — 3 g de protéines, 6 g de lipides, 39 g de glucides. Index glycémique calculé = 59.

À savoir : la quantité de glucides est donnée pour la totalité des ingrédients, aussi, adaptez votre portion à la quantité de glucides que vous avez l'habitude de manger.

INGRÉDIENTS POUR 6 PERSONNES

250 g de riz

3 cuillerées à soupe de menthe hachée

50 g de raisins secs

1 cuillerée à café de racine de gingembre râpée

4 tomates bien mûres

2 oignons

1 cuillerée à soupe d'huile

1 cuillerée à soupe de vinaigre aromatisé

1 pincée de piment de Cayenne

1/2 cuillerée à café de cannelle en poudre

sel, poivre

Riz aux échalotes

INGRÉDIENTS POUR 4 PERSONNES

250 g de riz

4 échalotes

150 g de champignons de Paris

2 blancs de poireaux

2 gousses d'ail

2 cuillerées à soupe de sauce de soja

1 pincée de piment en poudre

sel, poivre

Faites cuire le riz. Rincez-le, égouttez-le et réservez-le. Épluchez, lavez les champignons ; détaillez-les en lamelles. Lavez et émincez finement les blancs de poireaux. Pelez et hachez finement les échalotes. Pelez et écrasez l'ail. Dans une poêle, faites fondre les échalotes, puis ajoutez les champignons, les blancs de poireau, le piment en poudre et l'ail écrasé. Versez la sauce de soja. Faites cuire 5 minutes en remuant constamment. Ajoutez le riz, salez et poivrez. Mélangez pendant 5 minutes et servez sans attendre.

Apports nutritionnels: 160 calories — 4 g de protéines, traces de lipides, 35 g de glucides.
Index glycémique calculé = 56.

À savoir: le riz est un féculent moyennement hyperglycémiant. Sachez que les riz à cuisson rapide sont beaucoup plus hyperglycémiant que les riz à cuisson standard. (Index glycémiques = 60 en moyenne pour les riz basmati, blanc, brun… et 87 pour les riz à cuisson rapide.)

Riz aux petits pois

Découpez la tranche de jambon en petits dés. Faites-les revenir dans une cocotte à l'huile. Remuez. Incorporez les petits pois surgelés. Ajoutez le riz et remuez constamment jusqu'à ce qu'il devienne transparent. Versez alors le bouillon et le vin blanc. Salez, poivrez et couvrez jusqu'à ce que le riz soit cuit. Parsemez de persil haché et servez sans attendre.

Apports nutritionnels: 170 calories — 5 g de protéines, 2 g de lipides, 33 g de glucides.
Index glycémique calculé = 60.

À savoir: si vous doublez la quantité de petits pois, ce plat sera suffisamment riche en fibres pour que vous puissiez vous dispenser de manger des légumes verts par ailleurs.

INGRÉDIENTS POUR 4 PERSONNES

250 g de riz

1 belle tranche de jambon au torchon

100 g de petits pois surgelés ou frais

1 verre de bouillon de volaille dégraissé

1 petit verre de vin blanc sec (12 cl environ)

1 cuillerée à soupe d'huile

quelques branches de persil

sel, poivre

Riz aux amandes

250 g de riz

2 cuillerées à soupe
d'amandes effilées

1 carotte

2 cuillerées à soupe
de raisins secs

1 cuillerée à
soupe d'huile

1/2 poivron rouge

1 petit bouquet
de ciboulette

sel, poivre

Mettez les raisins à tremper dans un peu d'eau tiède. Faites cuire le riz. Pendant ce temps, pelez la carotte, détaillez-la en fins bâtonnets. Lavez et épépinez le poivron. Faites revenir ces légumes dans une poêle, à l'huile. Salez et poivrez. Dans une poêle antiadhésive, faites griller les amandes à sec. Dans un saladier, mélangez le riz cuit, les carottes, le poivron, les raisins secs égouttés. Ajoutez les amandes effilées. Saupoudrez de ciboulette ciselée et servez.

Apports nutritionnels: 195 calories — 3 g de protéines, 3 g de lipides, 39 g de glucides.
Index glycémique calculé = 60.

À savoir: les amandes sont riches en acides gras mono-insaturés également présents dans l'huile d'olive. Leur propriété est de lutter contre l'excès de « mauvais » cholestérol (LDL). Mais ces fruits sont également très caloriques car gras, donc usez-en sans en abuser!

Galettes de courgettes au paprika

Pelez les courgettes, râpez-les, égouttez-les bien. Lavez la tomate, détaillez-la en très petits cubes. Ôtez l'excédent de jus. Battez les œufs. Ajoutez-les aux courgettes râpées et à la tomate en cubes. Adjoignez le persil haché et ciselé. Formez des boulettes que vous presserez afin de former quatre galettes. Passez les galettes dans la farine de blé. Faites cuire à la poêle à feu moyen, dans un peu d'huile d'olive vierge extra, à raison de 5 minutes par face. Servez aussitôt pour accompagner viandes et poissons.

INGRÉDIENTS POUR 4 GALETTES

1 courgette

1/2 cuillerée à café de paprika

2 œufs

1 tomate

2 cuillerées à soupe de farine de blé

1 branche de persil

1 cuillerée à soupe d'huile d'olive vierge

sel, poivre

Apports nutritionnels: 105 calories — 3 g de protéines, 5 g de lipides, 12 g de glucides.

À savoir: ce plat est pauvre en glucides, si vous ne l'accompagnez pas de féculents, pensez à manger du pain ou un autre aliment glucidique en quantité suffisante.

Galettes de pommes de terre aux oignons

**INGRÉDIENTS
POUR 8 GALETTES**

2 pommes de terre

2 oignons

3 œufs

1 cuillerée à soupe de farine de blé complète

1 cuillerée à soupe d'huile

1 échalote

2 gousses d'ail

2 cuillerées à café de moutarde forte

2 cuillerées à café de graines de sésame

poivre

Râpez les pommes de terre, épongez-les bien pour supprimer l'excédent d'eau. Pelez et hachez les oignons, l'échalote et les gousses d'ail. Incorporez-les aux pommes de terre râpées. Ajoutez la moutarde, poivrez. Faites griller les graines de sésame à part dans une poêle antiadhésive, sans matière grasse. Incorporez-les à la préparation. Façonnez des galettes. Passez-les dans la farine. Faites cuire à la poêle, à l'huile, 5 minutes de chaque côté. Saupoudrez de ciboulette hachée. Servez comme accompagnement.

Apports nutritionnels: 100 calories — 4 g de protéines, 5 g de lipides, 10 g de glucides.
Index glycémique calculé = 68.

À savoir: l'index glycémique de la pomme de terre est assez élevé. Évitez de consommer du pain au même repas pour diminuer le pouvoir hyperglycémiant total de celui-ci.

Brocolis gratinés au fromage de brebis

Allumez le four à 200 °C. Faites cuire les brocolis à l'autocuiseur (ou dans un grand volume d'eau salée). Pendant ce temps, pelez et hachez l'oignon, pelez et écrasez l'ail. Quand les brocolis sont cuits, disposez-les dans un plat à gratin. Dans une jatte, battez les œufs, ajoutez le lait, le cumin, les oignons et l'ail hachés. Versez cette préparation sur les brocolis, saupoudrez de fromage de brebis, arrosez de bouillon de légumes et faites cuire 15 à 20 minutes.

INGRÉDIENTS POUR 4 PERSONNES

1 kg de brocolis en bouquets

2 oignons

2 gousses d'ail

4 œufs

1 petit verre de bouillon de légumes

1 verre de lait écrémé

1/2 cuillerée à café de cumin moulu

3 cuillerées à soupe de fromage de brebis râpé

sel, poivre

Apports nutritionnels: 175 calories — 16 g de protéines, 9 g de lipides, 7 g de glucides.

À savoir : par sa teneur en protéines, ce plat peut se substituer à un plat de viande ou poisson, il ne lui manque que d'avoir plus de glucides pour être complet.

Gratin de pommes de terre à l'aneth

INGRÉDIENTS POUR 4 PERSONNES

1 kg de pommes de terre

1 belle branche d'aneth

2 échalotes

1 grand verre de lait écrémé

3 cuillerées à soupe de gruyère râpé

1 cuillerée à soupe d'huile d'olive

sel, poivre

Allumez le four à 200 °C. Faites cuire les pommes de terre épluchées à l'autocuiseur (ou dans un grand volume d'eau salée). Pendant ce temps, pelez et hachez les échalotes. Faites-les suer dans une poêle à l'huile d'olive. Dans un plat, disposez les pommes de terre en rondelles, recouvrez d'échalotes, arrosez de lait, saupoudrez d'aneth, parsemez de gruyère râpé, et faites cuire 15 à 20 minutes.

Apports nutritionnels: 210 calories — 6 g de protéines, 3 g de lipides, 39 g de glucides.
Index glycémique calculé = 70.

À savoir : les pommes de terre cuites de cette façon sont moins hyperglycémiantes et six fois moins grasses que lorsqu'elles sont plongées dans l'huile bouillante. Voilà deux bonnes raisons de cuisiner le plus souvent possible les pommes de terre sous cette forme.

Aubergines farcies

Allumez le four à 180 °C. Coupez les aubergines en deux dans le sens de la longueur; ôtez-en la chair, hachez-la. Pelez et écrasez les tomates. Dans une poêle, faites revenir l'oignon, l'ail et la chair de l'aubergine à l'huile d'olive pendant 10 minutes, puis ajouter le riz et laisser cuire encore 2 minutes. Ajoutez alors la chair des tomates, le bouillon de légumes et assaisonnez. Portez à ébullition et faites mijoter 15 minutes à feu doux. Ajoutez-y l'aneth, le persil et la menthe. Faites blanchir 3 minutes l'aubergine dans une grande quantité d'eau bouillante salée, puis égouttez. Placez la préparation à base de riz dans les moitiés d'aubergines. Disposez-les dans un plat allant au four, arrosez d'un filet d'huile d'olive, et faites cuire 30 minutes environ.

**INGRÉDIENTS
POUR 4 PERSONNES**

4 aubergines

2 tomates

1 oignon

1 gousse d'ail

1 cuillerée à soupe
d'huile d'olive

600 ml de bouillon
de légumes

3 cuillerées à soupe
d'aneth haché

1 cuillerée a soupe
de persil haché

1 cuillerée a soupe de
menthe fraîche hachée

200 g de riz complet cuit

sel, poivre

Apports nutritionnels: 120 calories — 3 g de protéines, 6 g de lipides, 13 g de glucides.
Index glycémique calculé = 53.

À savoir: ce plat est une belle façon d'allier les légumes verts et les féculents, ce qui est si souvent conseillé pour une alimentation équilibrée.

Cake d'épinards
à la noix de muscade

**INGRÉDIENTS
POUR 6 PERSONNES**

1 kg d'épinards frais

300 g de cresson frais

150 g de crème fraîche
allégée à 8 % de
matières grasses

4 œufs

1 cuillerée à café de
noix de muscade râpée

sel, poivre

Lavez et épluchez les épinards et le cresson
en ôtant la partie fibreuse. Faites-les fondre
à feu doux dans un grand faitout. Salez, poivrez, ajoutez la noix de muscade. Hors du
feu, dans une grande jatte, mélangez la crème
fraîche aux épinards et au cresson, ajoutez les
œufs battus, mélangez bien afin d'obtenir
une préparation homogène. Versez dans un
moule à cake et faites cuire 20 minutes environ à four moyen.

Apports nutritionnels : 75 calories - 4 g de protéines, 6 g de lipides, 5 g de glucides.

*À savoir : coupé en dés, ce cake remplacera très
bien les cacahuètes, le saucisson et autres chips
à l'apéritif ; il est idéal également pour un
pique-nique.*

Ratatouille
aux olives noires

Rincez soigneusement tous les légumes. Épépinez les poivrons et coupez-les en lanières. Ôtez les extrémités des courgettes et coupez-les en épaisses rondelles; il n'est pas nécessaire de les éplucher. Coupez les tomates en huit et hachez finement les gousses d'ail. Ôtez les extrémités des aubergines et coupez-les en gros dés. Hachez grossièrement les oignons. Placez dans la cocotte les oignons, les poivrons, l'ail, les aubergines, les courgettes et les tomates. Salez, poivrez, parsemez d'herbes de Provence et laissez cuire à couvert et à feu très doux pendant 45 minutes environ. 10 minutes avant la fin de la cuisson, ajoutez les olives et remuez.

**INGRÉDIENTS
POUR 5 PERSONNES**

2 aubergines

2 courgettes

2 poivrons verts

4 tomates

2 oignons

4 gousses d'ail

herbes de Provence

12 olives noires environ

sel, poivre

Apports nutritionnels: 100 calories - 3 g de protéines, 5 g de lipides, 11 g de glucides.

À savoir: vous allègerez en calories de moitié votre part de ratatouille si vous ne mangez pas les olives noires.

Tomates à la provençale

INGRÉDIENTS POUR 4 PERSONNES

4 belles tomates

1 échalote

2 gousses d'ail

1 petit bouquet de ciboulette

8 olives noires

1 cuillerée à soupe d'huile d'olive

sel, poivre

Lavez les tomates, coupez-les en deux. Salez et poivrez, parsemez d'échalote et d'ail haché, saupoudrez de ciboulette et arrosez d'un filet d'huile d'olive. Placez le tout dans un plat creux allant au four. Ajoutez les olives. Faites cuire à four chaud (180 °C) 15 minutes environ. Servez en accompagnement de viandes et de poissons.

Apports nutritionnels : 100 calories - 2 g de protéines, 6 g de lipides, 9 g de glucides.

À savoir : vous pouvez rajouter du riz et un peu d'eau au plat pour obtenir un accompagnement complet et peu gras.

Ramequins glacés
à la tomate

Pelez les tomates et la courgette, hachez-les grossièrement, pelez et hachez l'ail et l'oignon, mélangez-les dans une jatte. Ajoutez le fromage blanc, le jus de citron, le persil et le cerfeuil, la ciboulette. Salez, poivrez puis mélangez bien. Versez la préparation dans 4 ramequins, placez au frais et servez comme accompagnement de poisson ou de viande, ou seul, en entrée.

Apports nutritionnels : 40 calories - 2 g de protéines, 1 g de lipides, 6 g de glucides.

À savoir : pour un pique-nique d'été, ces ramequins sont également parfaits.

**INGRÉDIENTS
POUR 4 PERSONNES**

4 tomates

1 courgette

2 petits oignons

2 gousses d'ail

50 g de fromage blanc

1/2 jus de citron

1 branche de cerfeuil

1 branche de persil

10 brins de ciboulette

sel, poivre

Bulbes de fenouil au paprika

INGRÉDIENTS POUR 4 PERSONNES

8 bulbes de fenouil

4 tomates

2 oignons

2 gousses d'ail

1 cuillerée à café de paprika

1 cuillerée à soupe d'huile d'olive

sel, poivre

Lavez les bulbes de fenouil, coupez-les en deux dans le sens de la longueur. Faites-les cuire dans une cocotte, à l'huile d'olive, pendant 5 minutes environ. Ajoutez les oignons hachés, les tomates découpées en petits cubes, l'ail écrasé, le paprika. Salez, poivrez, remuez. Faites cuire 15 à 20 minutes à feu doux.

Apports nutritionnels : 55 calories - 1 g de protéines, 3 g de lipides, 6 g de glucides.

À savoir : ce mélange fenouil–paprika parfumera à merveille les viandes blanches et poissons.

Torti gratinés aux épinards et au basilic

Allumez le four à 200 °C. Faites cuire les torti dans une grande quantité d'eau salée. Pelez et hachez l'oignon, pelez et écrasez l'ail, lavez et hachez le basilic. Lavez et épluchez les épinards. Faites revenir les feuilles dans une poêle à l'huile d'olive. Égouttez les torti, disposez-les dans un plat à gratin huilé. Disposez par dessus les épinards, puis les oignons et l'ail haché. Salez, poivrez. Saupoudrez de basilic frais, versez le lait, puis parsemez de gruyère râpé. Faites gratiner 10 à 15 minutes.

INGRÉDIENTS POUR 6 PERSONNES

500 g de torti

1 kg d'épinards frais

2 cuillerées à soupe de basilic haché

1 gros oignon

2 gousses d'ail

30 g de gruyère râpé

1 grand verre de lait écrémé

1 cuillerée à soupe d'huile d'olive

sel, poivre

Apports nutritionnels: 370 calories - 16 g de protéines, 4 g de lipides, 68 g de glucides.
Index glycémique calculé = 43.

À savoir: la quantité de glucides indiquée est importante, mais adaptez votre portion de torti à la quantité de glucides que vous mangez habituellement.

Penne rigate aux radis roses

INGRÉDIENTS POUR 6 PERSONNES

500 g de penne rigate

12 radis roses

4 tomates

1 concombre

100 g de feta

1 petit bouquet de basilic

1 cuillerée à soupe d'huile d'olive

sel, poivre

Découpez les tomates lavées en petits dés. Pelez le concombre. Coupez-le en quatre dans le sens de la longueur, puis découpez chaque morceau en tranches. Lavez et épluchez les radis, détaillez-les en tranches fines. Versez les penne rigate rincées et égouttées dans un saladier. Ajoutez les tomates, le concombre, les dés de feta et les tranches de radis. Arrosez d'un filet d'huile d'olive, saupoudrez de basilic haché et servez en plat unique ou en entrée.

Apports nutritionnels: 370 calories - 13 g de protéines, 7 g de lipides, 63 g de glucides.
Index glycémique calculé = 44.

À savoir: ce plat est complet et parfaitement adapté pour un dîner équilibré, apportant protéines, glucides et fibres.

Farfalle aux oranges

Faites cuire les farfalle en suivant les instructions indiquées sur l'emballage. Pendant ce temps, dans une cocotte, faites revenir à l'huile d'olive la courgette lavée et découpée en cubes. Salez, poivrez. Pelez les oranges, découpez-les en quartiers, placez-les dans la cocotte, ajoutez le persil et assaisonnez de sel et de poivre. Remuez, faites cuire encore 2 minutes, décorez de quartiers de citron et servez saupoudré de persil haché.

**INGRÉDIENTS
POUR 6 PERSONNES**

500 g de farfalle

2 oranges

1 citron non traité

1 courgette

2 branches de persil

1 cuillerée à soupe
d'huile d'olive

sel, poivre

Apports nutritionnels: 350 calories — 11 g de protéines, 4 g de lipides, 68 g de glucides.
Index glycémique calculé = 45.

À savoir : n'hésitez pas, comme dans cette recette, à rajouter toutes sortes de légumes, épices ou herbes aromatiques dans les pâtes pour obtenir un plat complet et peu calorique ; c'est toujours plus équilibré que de rajouter du beurre ou du fromage !

Macaroni à la menthe

INGRÉDIENTS POUR 4 PERSONNES

500 g de macaroni

1 petit bouquet de menthe fraîche

2 tomates bien mûres

2 gousses d'ail

1 cuillerée à café d'huile d'olive vierge extra

1 cuillerée à soupe de jus de citron

1 pincée de noix de muscade râpée

sel, poivre

Dans une casserole, faites chauffer une grande quantité d'eau salée. Versez-y l'huile d'olive. Quand l'eau bout, ajoutez les macaroni et laissez cuire le temps indiqué sur le paquet à partir de la reprise de l'ébullition. Rincez la menthe fraîche, essuyez-la soigneusement, réservez quelques feuilles, hachez le reste menu, mettez-le dans une jatte. Ajoutez l'ail pelé et haché menu, les tomates lavées et détaillées en petits cubes, la noix de muscade râpée, le jus de citron. Salez, poivrez et mélangez bien. Quand les macaroni sont cuits, égouttez-les soigneusement. Ajoutez la préparation à base de menthe, remuez bien et servez aussitôt.

Apports nutritionnels: 320 calories - 10 g de protéines, 4 g de lipides, 61 g de glucides.
Index glycémique calculé = 45.

À savoir: les pâtes sont l'un des féculents le moins hyperglycémiant, il est donc conseillé d'en manger plus souvent que d'autres ayant un index glycémique plus élevé, comme les pommes de terre ou le pain, par exemple.

Lasagnes à la ricotta

Allumez le four à 200 °C. Émiettez la ricotta à la fourchette. Saupoudrez-la de noix de muscade râpée. Faites cuire les lasagnes à l'eau bouillante salée puis égouttez-les. Disposez dans un plat à gratin huilé alternativement lasagnes et ricotta. Salez, poivrez, arrosez de lait écrémé. Recouvrez de fromage de brebis râpé, saupoudrez de basilic et faites cuire 20 minutes environ.

INGRÉDIENTS POUR 4 PERSONNES

9 lasagnes

150 g de ricotta

50 g de fromage de brebis râpé

1 verre de lait écrémé

1 branche de basilic

1/2 cuillerée à café de noix de muscade

1 cuillerée à soupe d'huile d'olive

sel, poivre

Apports nutritionnels: 125 calories - 9 g de protéines, 7 g de lipides, 7 g de glucides. **Index glycémique calculé = 38.**

À savoir: lorsque vous consommez un plat qui contient du fromage, pensez à manger plutôt un laitage à la fin du repas qu'une deuxième portion de fromage.

Omelette aux poivrons

INGRÉDIENTS POUR 4 PERSONNES

8 œufs

2 poivrons verts

4 petites tomates

4 gousses d'ail

1 pincée de cumin en poudre

1 cuillerée à soupe d'huile d'olive

quelques gouttes de tabasco

sel, poivre

Lavez et épluchez les poivrons. Détaillez-les en lanières. Lavez les tomates, détaillez-les en dés. Faites revenir poivrons et tomates dans une poêle, à l'huile d'olive. Ajoutez le cumin et le tabasco. Cuisez jusqu'à l'évaporation du jus. Battez les œufs en omelette. Salez. Versez ce mélange sur les légumes. Faites cuire à votre convenance. Si vous n'aimez pas le tabasco, remplacez-le par du piment doux en poudre ou du paprika.

Apports nutritionnels: 210 calories - 14 g de protéines, 16 g de lipides, 2 g de glucides.

À savoir: sur le plan nutritionnel, les œufs sont aussi intéressants que la viande ou le poisson, classés protéines de référence par l'OMS (Organisation mondiale pour la santé).

Omelette exotique

Pelez et hachez l'échalote et l'oignon. Lavez le poivron, épépinez-le puis découpez-le en dés. Rincez les petits pois. Dans une poêle, faites revenir les petits pois à l'huile d'olive. Ajoutez l'échalote, l'oignon, les poivrons, l'ail écrasé et le piment en poudre. Salez, poivrez. Battez les œufs en omelette. Salez, poivrez cette préparation. Versez sur les légumes. Faites cuire à votre convenance et faites glisser l'omelette sur un plat.

INGRÉDIENTS POUR 4 PERSONNES

8 œufs

1 échalote

1 oignon

100 g de petits pois frais ou surgelés

1 poivron rouge

1 cuillerée à soupe d'huile d'olive

1 pincée de piment en poudre

sel, poivre

Apports nutritionnels: 220 calories - 15 g de protéines, 14 g de lipides, 8 g de glucides.

À savoir: dans l'œuf, le blanc correspond aux protéines et le jaune aux lipides. Il y a donc autant de graisses que de protéines dans un œuf, n'en abusez pas, a fortiori si votre taux de cholestérol est élevé. Dans ce cas, limitez votre consommation à 4 œufs par semaine (y compris les œufs contenu dans les pâtisseries, les biscuits, etc.).

Œufs brouillés aux tomates

INGRÉDIENTS POUR 4 PERSONNES

6 œufs

2 tomates

1 oignon

1 poivron vert

1 branche de persil haché

1 cuillerée à soupe d'herbes de Provence

3 gousses d'ail

1 cuillerée à soupe d'huile

sel, poivre

Faites fondre l'oignon haché dans une poêle à l'huile. Ajoutez les tomates et le poivron coupés en dés, remuez et faites cuire 3 minutes. Ajoutez alors l'ail et le persil hachés, puis les herbes de Provence. Salez, poivrez, ajoutez les œufs et brouillez-les. Servez lorsque les œufs sont cuits.

Apports nutritionnels:

160 calories - 10 g de protéines, 12 g de lipides, 3 g de glucides.

À savoir: préférez accommoder vos omelettes et œufs brouillés avec des légumes verts et herbes aromatiques plutôt qu'avec du fromage ou du lard, qui contiennent également beaucoup de graisses. Si vous y ajoutez des pommes de terre, vous obtenez un plat complet.

desserts

Mousse au citron

Bon
TOUTE LES
MOUSSE Sont
Bon

Battez les blancs en neige très ferme avec le sel. Ajoutez le sucre et le jus de citron. Placez au réfrigérateur 1 heure au moins. Servez décoré de zestes de citron.

INGRÉDIENTS POUR 4 PERSONNES

4 blancs d'œufs

1 citron non traité

40 g de sucre

1 pincée de sel pour les blancs d'œufs

Apports nutritionnels :

60 calories - 3 g de protéines, traces de lipides, 11 g de glucides.

Index glycémique calculé = 59.

À savoir : hormis les fruits, frais, en compote ou en salade, les desserts sont souvent gras, sauf les mousses de fruits, alors pensez-y !

Mousse aux abricots

**INGRÉDIENTS
POUR 4 PERSONNES**

4 œufs

500 g d'abricots
bien mûrs

50 g de sucre

½ jus de citron

Dans le bol du mixeur, placez les abricots lavés et dénoyautés avec les jaunes d'œufs et le jus de citron. Mixez. Ajoutez alors le sucre à cette préparation, puis les blancs battus en neige très ferme. Incorporez délicatement les blancs d'œufs, placez au frais 1 heure au moins puis servez.

Apports nutritionnels :
160 calories - 7 g de protéines, 6 g de lipides, 20 g de glucides.
Index glycémique calculé = 49.

À savoir : cette recette est une très bonne façon d'utiliser les fruits d'été (abricots, pêches, brugnons) trop mûrs ou peu présentables dans une corbeille de fruits.

Mousse aux pommes

Battez les blancs en neige très ferme. Ajoutez délicatement la compote froide dans laquelle vous aurez incorporé la cannelle et l'extrait naturel de vanille. Placez dans des ramequins et réservez au réfrigérateur 1 heure au moins. Servez décoré de feuilles de menthe.

Apports nutritionnels :
125 calories - traces de protéines, 4 g de lipides, 5 g de glucides.
Index glycémique calculé = 55.

À savoir : c'est le jaune de l'œuf qui contient du cholestérol, donc inutile de se priver de ce genre de recette si votre taux de cholestérol est élevé !

INGRÉDIENTS POUR 4 PERSONNES

4 blancs d'œufs

200 g de compote de pommes sans sucre ajouté

20 g de sucre

1 cuillerée à café de cannelle en poudre

1/2 cuillerée à café d'extrait naturel de vanille

Quelques feuilles de menthe

Mousse de framboises

**INGRÉDIENTS
POUR 4 PERSONNES**

4 blancs d'œufs

500 g de framboises

50 g de sucre

1 cuillerée à soupe de
crème fraîche allégée
à 8 % de matières

grasses

1 cuillerée à café
d'extrait naturel
de vanille

Lavez soigneusement les framboises, essuyez-les. Réservez-en quatre pour la décoration, placez les autres dans le bol du mixeur avec la crème fraîche et l'extrait naturel de vanille. Mixez, filtrez et versez la préparation ainsi obtenue dans une grande jatte. Battez les blancs en neige très ferme. Incorporez-les délicatement à la préparation à base de framboises, en veillant à ne pas briser les blancs. Versez la préparation dans des ramequins individuels. Garnissez chaque mousse d'une belle framboise. Servez immédiatement.

Apports nutritionnels:
54 calories - 5 g de protéines, 2 g de lipides, 22 g de glucides.
Index glycémique calculé = 54.

À savoir: vous pouvez diminuer l'index glycémique de ce plat en remplaçant le sucre par du fructose. Cependant, celui-ci est aussi calorique que le sucre et fait monter votre taux de triglycérides si vous en consommez trop; notez que cette forme de sucre est déjà présente naturellement dans les fruits.

Salade vitaminée
à l'eau de fleur d'oranger

Pelez les agrumes. Détaillez-les en quartiers. Arrosez-les de jus de citron, saupoudrez de vanille en poudre. Ajoutez l'eau de fleur d'oranger, parsemez de zestes de citron. Dressez dans un saladier et placez au frais au moins 1 heure avant de servir.

**INGRÉDIENTS
POUR 4 PERSONNES**

4 oranges

4 clémentines

2 pamplemousses

1 citron non traité

3 cuillerées à soupe d'eau de fleur d'oranger

1/2 cuillerée à café d'extrait naturel de vanille

Apports nutritionnels :

75 calories - 1 g de protéines, traces de lipides, 17 g de glucides.

Index glycémique calculé = 38.

À savoir : vous pouvez agrémenter ce dessert de biscuits secs « légers », comme des tuiles.

Salade aux deux raisins

**INGRÉDIENTS
POUR 4 PERSONNES**

150 g de raisin noir

150 g de raisin blanc

1 poire

1 pomme

1 jus de citron non traité

4 cuillerées à soupe
de vin rouge

Lavez les grappes de raisin, égrenez-les, épé-pinez-les. Essuyez-les soigneusement. Lavez et pelez la poire et la pomme, détaillez-les en cubes. Placez le tout dans un saladier. Arrosez de jus de citron et de vin rouge. Réservez au frais pendant 1 heure au moins avant de servir.

Apports nutritionnels:

45 calories - 1 g de protéines, traces de lipides, 17 g de glucides.

Index glycémique calculé = 45.

À savoir: vous pouvez piquer les morceaux de pomme et de poire ainsi que les grains de raisins sur des brochettes, ce qui en fait un dessert original pour les buffets.

Salade antillaise

Lavez et pelez les fruits. Découpez les tranches d'ananas, le melon, le fruit de la passion, le morceau de pastèque en dés, la banane en tranches, l'orange en quartier. Placez le tout dans un saladier, arrosez de jus de citron et de rhum, saupoudrez de sucre de canne roux, placez au frais 1 heure et servez.

**INGRÉDIENTS
POUR 4 PERSONNES**

quelques tranches
d'ananas frais

1 banane

1 orange

1 petit melon

1 fruit de la passion

1 morceau de pastèque

1 cuillerée à soupe de
sucre de canne roux

1 jus de citron non traité

2 cuillerées à
soupe de rhum

1/2 cuillerée à soupe
de vanille en poudre

1 pincée de cannelle

Apports nutritionnels:

**75 calories - traces de protéines, traces de lipides,
15 g de glucides.**
Index glycémique calculé = 61.

À savoir: les salades de fruits ont toujours du succès, notamment à la fin d'un repas riche, pensez-y!

Compote rosée

**INGRÉDIENTS
POUR 4 PERSONNES**

600 g de pommes
à cuire

250 g de framboises
fraîches ou surgelées

1 cuillerée à soupe
de sucre

1 cuillerée à café
de cannelle

1 bâton de vanille

Lavez, pelez et épépinez les pommes. Découpez-les en cubes grossiers. Placez-les dans une grande casserole. Ajoutez les framboises lavées, le sucre, la cannelle et le bâton de vanille. Faites cuire à feu moyen jusqu'à ce que les fruits soient fondus. Ôtez le bâton de vanille. Mixez. Placez dans des coupelles et consommez encore tiède.

Apports nutritionnels:
105 calories - 1 g de protéines, 1 g de lipides, 23 g de glucides.
Index glycémique calculé = 54.

À savoir: les fruits en compote sont souvent plus hyperglycémiants que lorsqu'ils sont consommés frais, mais l'index reste peu élevé. N'hésitez donc pas à les proposer dans vos menus pour varier ainsi vos desserts!

Compote de fruits rouges

Pressez l'orange. Portez ce jus à ébullition dans une casserole avec le sucre. Jetez-y les framboises, les fraises dont vous aurez ôté le pédoncule et les cerises dénoyautées. Faites cuire à feu doux pendant 20 minutes, ou un peu plus si la préparation demeure trop liquide. Mixez pour obtenir une purée. Versez dans des ramequins, laissez refroidir et, avant de servir, décorez d'une petite grappe de groseilles.

**INGRÉDIENTS
POUR 4 PERSONNES**

250 g de framboises

250 g de fraises

250 g de cerises

50 g de sucre

1 orange

quelques grappes de groseilles

Apports nutritionnels:
145 calories - 2 g de protéines, 1 g de lipides, 32 g de glucides.
Index glycémique calculé = 45.

À savoir: vous pouvez sucrer cette compote avec de la gelée (2 cuillerées à soupe de gelée pour 50 g de sucre) pour obtenir un parfum supplémentaire.

Compote de mirabelles au gingembre

**INGRÉDIENT
POUR 6 PERSONNES**

800 g de mirabelles

1 cuillerée à café de gingembre haché

50 g de sucre

1 jus de citron non traité

1/2 cuillerée à café de cannelle en poudre

Lavez et dénoyautez les mirabelles. Dans une casserole, faites chauffer 1 dl d'eau. Quand elle frémit, jetez-y les mirabelles, le jus de citron, le gingembre et le sucre. Baissez le feu. Faites cuire 45 minutes environ à feu doux. Placez dans un saladier, laissez refroidir à température ambiante, puis réservez au frais. Servez tel quel ou avec une boule de sorbet au citron.

Apports nutritionnels:
130 calories - 1 g de protéines, 1 g de lipides, 30 g de glucides.
Index glycémique calculé = 53.

À savoir: vous pouvez réussir cette compote « exotique » tout au long de l'année grâce aux fruits surgelés, pensez-y!

Pommes au vin rouge

Lavez et pelez les pommes. Arrosez-les de jus de citron afin qu'elles ne noircissent pas. Placez-les dans une grande casserole, mouillez au vin rouge, ajoutez la cannelle et recouvrez d'eau (les pommes doivent être totalement immergées). Portez à ébullition puis réduisez le feu. Faites cuire 15 minutes à feu doux. Prélevez précautionneusement les pommes, disposez-les dans des coupes. Faites réduire la sauce des deux-tiers environ et, quand elle est tiède, versez-la sur les fruits. Laissez refroidir 30 minutes à température ambiante, puis placez les coupes au frais pendant 2 heures au moins. Servez décoré de feuilles de menthe.

INGRÉDIENTS POUR 4 PERSONNES

4 pommes

1 petit verre de vin rouge (12 cl environ)

2 cuillerées à soupe de jus de citron

1 cuillerée à café de cannelle en poudre

quelques feuilles de menthe pour la décoration

Apports nutritionnels :
105 calories - traces de protéines, traces de lipides, 21 g de glucides.
Index glycémique calculé = 38.

À savoir : la pomme ayant un index glycémique faible, proposez ce dessert à la fin d'un repas où vous aurez servi des pommes de terre ou du riz (qui ont un index glycémique plus élevé) ; ceci fera une bonne moyenne.

Sorbet aux poires et aux amandes grillées

**INGRÉDIENTS
POUR 4 PERSONNES**

600 g de poires

1 jus de citron non traité

80 g de sucre

1 dl d'eau

quelques amandes
effilées

quelques carrés de
chocolat noir extra

Lavez, pelez et épépinez les poires, mixez-en la chair avec le jus de citron. Versez l'eau dans une casserole, ajoutez le sucre et faites réduire de moitié à petit bouillon afin d'obtenir un sirop. Faites refroidir et mélangez à la purée de poires au jus de citron. Placez dans une sorbetière au congélateur. Formez des boules que vous placerez dans des coupelles individuelles, décorez d'amandes effilées grillées encore tièdes et de quelques copeaux de chocolat noir, et servez aussitôt.

Apports nutritionnels:
250 calories - 3 g de protéines, 8 g de lipides, 40 g de glucides.
Index glycémique calculé = 48.

À savoir: vous pouvez diminuer l'apport glucidique de ce dessert en diminuant de moitié la quantité de sucre ajouté. Mais il est tout à fait possible de consommer ce dessert tel quel, si vous n'avez pas mangé trop de glucides par ailleurs.

Sorbet aux kiwis
et aux zestes de citron

Lavez et pelez les kiwis, passez leur chair au mixeur avec le jus de citron. Taillez quelques zestes. Dans une casserole, faites chauffer l'eau et le fructose. Portez à ébullition et faites frémir afin d'obtenir un sirop. Incorporez le sirop refroidi à la purée de kiwis. Mélangez bien, placez dans une sorbetière au congélateur. Quand le sorbet est pris, formez des boules que vous placerez dans des coupelles. Décorez de zestes de citron et d'une rondelle de kiwi.

**INGRÉDIENTS
POUR 4 PERSONNES**

6 kiwis + 1 pour
la décoration

1 citron non traité

1 dl d'eau

100 g de fructose

Apports nutritionnels:
140 calories - 1 g de protéines, traces de lipides, 33 g de glucides.
Index glycémique calculé = 37.

À savoir: le sorbet est un dessert avantageux, car il est dépourvu de matières grasses. Sachez que deux boules de sorbet représentent autant de calories et de sucre qu'un fruit frais!

Petits flans à la cannelle

INGRÉDIENTS POUR 4 PERSONNES

3 œufs

1/4 l de lait écrémé

50 g de fructose

1 cuillerée à café de cannelle

4 clous de girofle

Dans une casserole, versez le lait. Ajoutez la cannelle et les clous de girofle. Portez à ébullition et faites frémir à petit feu pendant 10 minutes. Filtrez et laissez refroidir. Cassez les œufs dans une jatte et battez-les. Incorporez progressivement le lait aux épices. Versez la préparation dans des ramequins individuels et faites cuire au bain-marie au four à 180 °C pendant 30 minutes. Dégustez frais.

Apports nutritionnels:
125 calories - 7 g de protéines, 4 g de lipides, 15 g de glucides.
Index glycémique calculé = 31.

À savoir: ce dessert est très intéressant pour son index glycémique faible. Vous pouvez le servir à la fin d'un repas ne comportant ni viande ni poisson, ce sera alors un bon complément en protéines.

Flans à la flamande

Allumez le four à 180 °C. Versez la crème fraîche dans une casserole. Faites chauffer pour la fluidifier. Ajoutez la bière et portez à ébullition sans cesser de remuer. Cassez les œufs dans un saladier, ajoutez le fructose et fouettez jusqu'à ce que le mélange blanchisse. Ajouter à cette préparation le mélange à base de crème, puis incorporez la cannelle. Versez la préparation dans des ramequins et faites cuire au four au bain-marie pendant environ 30 minutes. Laissez refroidir et régalez-vous.

INGRÉDIENTS POUR 4 PERSONNES

4 œufs

2 cuillerées à soupe de crème fraîche à 8 % de matières grasses

1 canette de bière blonde

1 cuillerée à café de cannelle en poudre

50 g de fructose

Apports nutritionnels:

180 calories - 7 g de protéines, 7 g de lipides, 16 g de glucides.

Index glycémique calculé = 45.

À savoir: ce dessert apporte également des protéines, veillez à ne pas trop en consommer au cours du même repas. Faites des équivalences: par exemple, dans ce cas, fromage ou dessert!

10 idées
de sandwichs
et d'en-cas

Sandwich bûcheron

Découpez le morceau de pain en deux dans le sens de la longueur. Tartinez chaque partie de moutarde. Tapissez de feuilles de salade. Placez le jambon de montagne sur ce lit. Disposez par dessus quelques feuilles de salade. Poivrez. Replacez l'autre moitié sur la salade, et appuyez bien pour refermer le sandwich.

INGRÉDIENTS POUR 1 PERSONNE

¼ de baguette de pain aux noix

1 tranche de jambon de montagne dégraissé

quelques feuilles de salade

1 cuillerée à café de moutarde douce aromatisée

sel, poivre

Apports nutritionnels:

255 calories - 15 g de protéines, 9 g de lipides, 29 g de glucides.

Index glycémique calculé = 65.

À savoir: ce sandwich porte bien son nom et sera adapté aux situations d'activité physique (déménagement, randonnée, etc.).

Sandwich de dinde au cumin

INGRÉDIENTS POUR UNE PERSONNE

2 belles tranches de pain complet

60 g de blanc de dinde

1 tomate

2 feuilles de salade au choix

1 cuillerée à soupe d'huile d'olive

1/2 cuillerée à café de cumin

Saupoudrez le blanc de dinde de cumin moulu, détaillez-le en lamelles. Lavez la tomate, découpez-la en tranches. Placez les feuilles de salade lavées et essorées dans un saladier, versez l'huile d'olive et mélangez bien de manière à ce qu'elles en soient recouvertes. Sur une tranche de pain complet, placez une feuille de salade, les rondelles de tomates et les lamelles de dinde. Salez, poivrez, placez l'autre tranche de pain complet, appuyez bien, puis réservez ou dégustez.

Apports nutritionnels :
400 calories - 23 g de protéines, 12 g de lipides, 50 g de glucides.
Index glycémique calculé = 68.

À savoir : le pain est très hyperglycémiant, aussi le sandwich est-il un repas de remplacement qui fait souvent beaucoup monter la glycémie. En choisissant un pain complet ou noir, vous améliorez l'index glycémique.

Boule orientale

Coupez le petit pain en deux dans le sens de la longueur, évidez-le en laissant un peu de mie. Lavez les champignons, jetez les pieds et détaillez les chapeaux en lamelles. Lavez le poivron, épépinez-le, détaillez-le en petits cubes. Pelez l'oignon, hachez-le. Hachez la menthe. Ouvrez la boîte de thon, jetez l'excédent d'huile. Placez tous les ingrédients dans un saladier, ajoutez les olives noires, salez, poivrez. Placez cette préparation dans la partie inférieure du petit pain évidé, placez l'autre moitié au-dessus comme un couvercle, puis réservez ou savourez.

INGRÉDIENTS POUR 1 PERSONNE

1 petit pain rond

1 petite boîte de miettes de thon à l'huile d'olive

1 petit oignon doux

quelques feuilles de menthe

2 champignons de Paris frais

1/2 poivron rouge ou vert

sel, poivre

Apports nutritionnels:
290 calories - 17 g de protéines, 11 g de lipides, 31 g de glucides.
Index glycémique calculé = 65.

À savoir : le sandwich a souvent mauvaise réputation, mais il vaut mieux manger un « casse-croûte » plutôt que de sauter un repas. D'autant que cette boule orientale nous montre que même un sandwich peut être équilibré !

Sandwich à la grecque

**INGRÉDIENTS
POUR 1 PERSONNE**

2 tranches de
pain de seigle

50 g de feta

1 petit oignon doux

quelques olives
noires dénoyautées

quelques feuilles de
salade au choix

quelques brins
de ciboulette

poivre

Tapissez une tranche de pain de salade verte. Écrasez la feta à la fourchette. Placez-la sur la tranche de pain. Parsemez de rondelles d'oignon, d'olives noires et de ciboulette. Poivrez. Arrosez d'un petit filet d'huile d'olive vierge extra. Placez l'autre tranche de pain par dessus. C'est prêt !

Apports nutritionnels :
325 calories - 15 g de protéines, 16 g de lipides, 30 g de glucides.
Index glycémique calculé = 61.

À savoir : bien qu'assez calorique, ce sandwich sera toujours mieux qu'un sandwich grecque acheté dans la rue avec viande de mouton rôtie, frites et mayonnaise !

Sandwich au saumon fumé

Coupez le pain en deux dans le sens de la longueur. Disposez deux feuilles de laitue sur une moitié du pain puis étalez la tranche de saumon fumé. Tartinez de fromage blanc, arrosez de jus de citron, parsemez de ciboulette, recouvrez d'une feuille de salade et placez l'autre moitié de pain sur le dessus.

Apports nutritionnels:
200 calories - 14 g de protéines, 6 g de lipides, 23 g de glucides.
Index glycémique calculé = 63.

À savoir: plutôt que de badigeonner le pain de mayonnaise ou de beurre, utilisez cette astuce du fromage blanc assaisonné.

**INGRÉDIENTS
POUR 1 PERSONNE**

1 petit pain au sésame

1 tranche de
saumon fumé

1 cuillerée à soupe
de fromage blanc à
0 % de matières
grasses

1 filet de jus de citron

1 cuillerée à café de
ciboulette ciselée

quelques feuilles
de laitue

sel, poivre

Toasts au fromage
de chèvre

**INGRÉDIENTS
POUR 4 PERSONNES**

12 petites tranches de
pain de seigle rond

80 g de fromage
de chèvre allégé

1 petit oignon doux

1 cuillerée à soupe de
ciboulette hachée

poivre

Tartinez chaque tranche de pain de fromage de chèvre. Disposez une rondelle d'oignon. Saupoudrez de ciboulette hachée, poivrez légèrement (ne salez pas, le fromage de chèvre l'est déjà naturellement). Dégustez à l'heure de l'apéritif ou sur le pouce, accompagné d'une salade verte.

Apports nutritionnels:
130 calories - 6 g de protéines, 4 g de lipides, 18 g de glucides.
Index glycémique calculé = 57.

À savoir: ces petits toasts peuvent être une idée pour vos buffets entre amis.

Petit pain surprise

Coupez le petit pain en deux moitiés. Tartinez-les de fromage blanc battu avec la ciboulette hachée. Disposez les morceaux de poulet coupés en dés, les feuilles de laitue ciselées, les dés de tomates sur l'une des moitiés. Salez, poivrez. Recouvrez le tout de l'autre moitié du petit pain.

Apports nutritionnels:
210 caloraés - 17 g de protéines, 3 g de lipides, 29 g de glucides.
Index glycémique calculé = 59.

À savoir: ce petit pain est particulièrement maigre, si vous le consommez en pique-nique, vous pouvez vous permettre de l'accompagner d'un aliment plus gras, comme des chips, ou d'une pâtisserie en dessert.

INGRÉDIENTS POUR 1 PERSONNE

1 petit pain de mie rond à hamburger

50 g de fromage blanc

quelques brins de ciboulette

30 g de blanc de poulet

quelques feuilles de laitue ciselée

1 petite tomate

sel, poivre

Sandwich tiède au basilic

**INGRÉDIENTS
POUR 1 PERSONNE**

2 tranches de
pain de mie

quelques feuilles
de salade

1 petite tomate

1 gousse d'ail

1 cuillerée à café
de basilic haché

1 filet d'huile d'olive

1 œuf dur

sel, poivre

Faites griller vos tranches de pain de mie au grille-pain ou dans une poêle. Frottez-les avec la gousse d'ail coupée en deux. Dans un saladier, disposez les feuilles de salade, la tomate coupée en dés. Arrosez d'huile d'olive, salez, poivrez, saupoudrez de basilic. Disposez cette préparation sur l'une des tranches, placez les rondelles d'œuf dur et recouvrez de la deuxième tartine. Aplatissez de la paume de la main, puis dégustez ou réservez pour plus tard.

Apports nutritionnels :
175 calories - 3 g de protéines, 11 g de lipides, 16 g de glucides.
Index glycémique calculé = 59.

À savoir : pour augmenter la part de glucides de cet en-cas, utiliser du pain de mie américain.

Délice au concombre

Découpez le morceau de baguette en deux dans le sens de la longueur. Pelez le concombre, détaillez-le en cubes. Préparez une sauce avec le fromage blanc maigre, le jus de citron, la ciboulette, la menthe hachée, le sel et le poivre. Placez le concombre sur une tranche de pain. Nappez de la sauce au fromage blanc, placez l'autre moitié de pain sur le tout et pressez bien. Réservez au frais ou régalez-vous tout de suite.

Apports nutritionnels:
160 calories - 8 g de protéines, 1 g de lipides, 30 g de glucides.
Index glycémique calculé = 67.

À savoir: dépourvu de matières grasses, ce « délice » pourra être consommé au déjeuner si l'on sait que le dîner sera copieux ou, inversement, pour un dîner alors que le déjeuner aura été festif…

**INGRÉDIENTS
POUR 1 PERSONNE**

1/4 de baguette
de pain complet

1/3 de concombre

1 bonne cuillerée à
soupe de fromage
blanc à 0 % de

matières grasses

2 cuillerées à café
de jus de citron

quelques brins
de ciboulette

1 cuillerée à soupe
de feuilles de
menthe ciselées

sel, poivre

Sandwich à l'ananas

**INGRÉDIENTS
POUR 1 PERSONNE:**

1 pain rond au sésame

2 tranches
d'ananas frais

30 g de pousses de soja
frais ou en conserve

1/2 poivron vert

2 cuillerées à soupe
de jus de citron

1 cuillerée à café d'huile
d'olive vierge extra

1 cuillerée à café
de sauce de soja

2 feuilles de salade
au choix

1 petit blanc de
poulet cuit

sel, poivre

Détaillez les tranches d'ananas en dés. Faites blanchir pendant 2 minutes dans une grande quantité d'eau bouillante salée les pousses de soja rincées. Égouttez et réservez. Lavez le poivron, épépinez-le et détaillez-le en cubes. Lavez la salade, essorez-la et détaillez-la en fines lanières. Détaillez le blanc de poulet en lamelles. Découpez le pain en deux dans le sens de l'épaisseur. Évidez-le partiellement. Dans une jatte, placez les pousses de soja, les tranches d'ananas en dés, le demi-poivron découpé en cubes, la salade en lanières et le poulet en lamelles. Dans un bol, versez l'huile d'olive, le jus de citron et la sauce de soja. Salez, poivrez. Battez pour obtenir une sauce homogène. Versez cette préparation sur les légumes, mélangez bien. Garnissez-en le petit pain; réservez ou savourez.

Apports nutritionnels:
320 calories - 15 g de protéines, 17 g de lipides, 27 g de glucides.
Index glycémique calculé = 65.

À savoir: ce sandwich a l'avantage d'être riche en fibres, ce qui est plutôt rare pour ce genre de préparation.

Tables des recettes

Poissons et crustacés

Accompagnements et plats uniques

Desserts

Pour l'éditeur, le principe est d'utiliser des papiers composés de fibres naturelles
renouvelables, recyclables et fabriquées à partir de bois issus
de forêts qui adoptent un système d'aménagement durable. En outre, l'éditeur
attend de ses fournisseurs de papier qu'ils s'inscrivent dans une démarche
de certification environnementale reconnue.

Imprimé en Allemagne par GGP Media GmbH, Poessneck,
en janvier 2013
ISBN : 978-2-501-08472-7
4127163 / 01